초능력 수학 연산을 사면 초능력 쌤이 우리집으로 온다!

초능력 쌤과 함께하는 연산 원리 동영상 강의 무료 제공

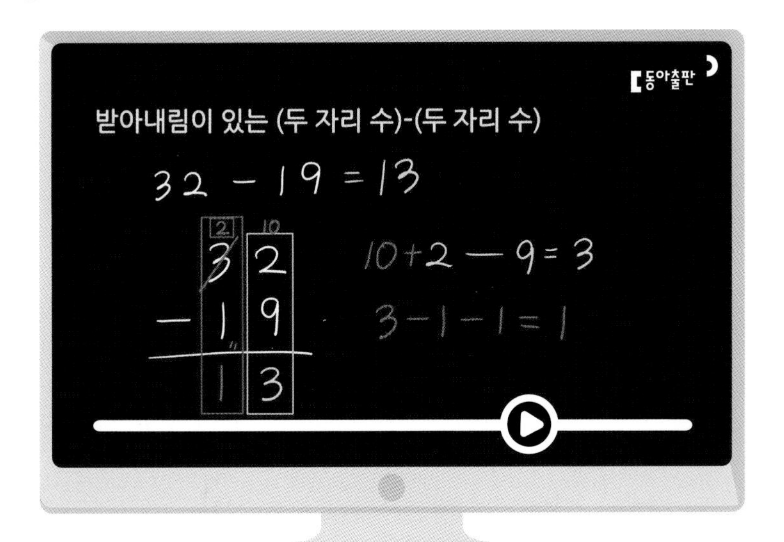

자꾸 연산에서 실수를 해요. 도와줘요~ 초능력 쌤!

연산에서 자꾸 실수를 하는 건 연산 원리를 제대로 이해하지 못했기 때문이야.

연산 원리요? 어떻게 연산 원리를 공부하면 돼요?

이제부터 내가 하나하나 알려줄게. 지금 바로 무료 스마트러닝에 접속해 봐.

초능력 쌤이랑 공부하니 제대로 연산 기초가 탄탄해지네요!

초능력 수학 연산 무료 스마트러닝 접속 방법

방법 1

동아출판 홈페이지 www.bookdonga.com에 접속하면 초능력 수학 연산 무료 스마트러닝을 이용할 수 있습니다.

방법 2

핸드폰이나 태블릿으로 **교재 표지나 본문에 있는 QR코드**를 찍으면 무료 스마트러닝에서 연산 원리 동영상 강의를 이용할 수 있습니다.

초능력 쌤과 키우자, 공부힘!

국어 독해 P~6단계(전 7권)

- 하루 4쪽, 6주 완성
- 국어 독해 능력과 어휘 능력을 한 번에 향상
- 문학, 사회, 과학, 예술, 인물, 스포츠 지문 독해

비주얼씽킹 한국사 1~3권(전 3권)

- 한국사 개념부터 흐름까지 비주얼씽킹으로 완성
- 참쌤의 한국사 비주얼씽킹 동영상 강의
- 사건과 인물로 탐구하는 역사 논술

맞춤법+받아쓰기 1~2학년 1, 2학기(전 4권)

- 쉽고 빠르게 배우는 맞춤법 학습
- 매일 낱말과 문장 바르게 쓰기 연습
- 학년, 학기별 국어 교과서 어휘 학습

비주얼씽킹 과학 1~3권(전 3권)

- 교과서 핵심 개념을 비주얼씽킹으로 완성
- 참쌤의 과학 개념 비주얼씽킹 동영상 강의
- 사고력을 키우는 과학 탐구 퀴즈 / 토론

수학 연산 1~6학년 1, 2학기(전 12권)

- 정확한 연산 쓰기 학습
- 학년, 학기별 중요 단원 연산 강화 학습
- 문제해결력 향상을 위한 연산 적용 학습

★연산 특화 교재

- 구구단(1~2학년), 시계·달력(1~2학년), 분수(4~5학년)

급수 한자 8급, 7급, 6급(전 3권)

- 하루 2쪽으로 쉽게 익히는 한자 학습
- 급수별 한 권으로 한자능력검정시험 완벽 대비
- 한자와 연계된 초등 교과서 어휘력 향상

이 책을 학습한 날짜와 학습 결과를 체크해 보세요.

초능력 수학 연산 학습 플래너

스스로 학습 계획을 세우고 달성하면서
수학 연산 실력 향상은 물론
연산을 적용하는 힘을 키울 수 있습니다.

DAY	공부한 날	확인
01	월 일	☺☹
02	월 일	☺☹
03	월 일	☺☹
04	월 일	☺☹
05	월 일	☺☹
06	월 일	☺☹
07	월 일	☺☹
08	월 일	☺☹
09	월 일	☺☹
10	월 일	☺☹
11	월 일	☺☹
12	월 일	☺☹
13	월 일	☺☹
14	월 일	☺☹
15	월 일	☺☹
16	월 일	☺☹
17	월 일	☺☹
18	월 일	☺☹
19	월 일	☺☹
20	월 일	☺☹
21	월 일	☺☹
22	월 일	☺☹
23	월 일	☺☹
24	월 일	☺☹
25	월 일	☺☹
26	월 일	☺☹
27	월 일	☺☹
28	월 일	☺☹
29	월 일	☺☹
30	월 일	☺☹
31	월 일	☺☹
32	월 일	☺☹

DAY	공부한 날	확인
33	월 일	☺☹
34	월 일	☺☹
35	월 일	☺☹
36	월 일	☺☹
37	월 일	☺☹
38	월 일	☺☹
39	월 일	☺☹
40	월 일	☺☹
41	월 일	☺☹
42	월 일	☺☹
43	월 일	☺☹
44	월 일	☺☹
45	월 일	☺☹
46	월 일	☺☹
47	월 일	☺☹
48	월 일	☺☹
49	월 일	☺☹
50	월 일	☺☹
51	월 일	☺☹
52	월 일	☺☹
53	월 일	☺☹
54	월 일	☺☹
55	월 일	☺☹
56	월 일	☺☹
57	월 일	☺☹
58	월 일	☺☹
59	월 일	☺☹
60	월 일	☺☹
61	월 일	☺☹
62	월 일	☺☹
63	월 일	☺☹
64	월 일	☺☹

이렇게 활용하세요.

공부한 날에 맞게 날짜를 쓰고
학습 결과에 맞추어 확인란에 체크합니다.

예

DAY	공부한 날	확인
01	1 월 2 일	☺☹

초능력 수학 연산 칸 노트 활용법

중학교, 고등학교에서도 초등학교 때 배운 수학 연산을 바탕으로 새로운 지식을 배우게 됩니다.
수학 연산에서 가장 중요한 것은 **정확성**입니다.
계산 실수를 하지 않는 습관을 들이는 것이 가장 중요합니다.

바른 계산 원리 이해

원리 단계에서 칸 노트에 제시된 문제를 해결하면서 바른 계산 원리를 이해합니다.

바른 계산 연습

연습 단계에서 제시된 가로셈 문제를 직접 **정확성 UP**! 칸 노트에 세로셈으로 옮겨 쓰고, 자릿값에 맞추어 계산하면서 바른 계산을 연습합니다.

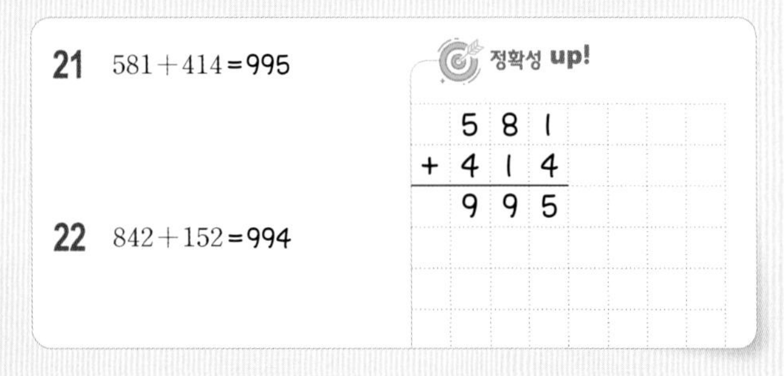

적용 문제 해결

적용 단계에서 제시된 적용 문제를 가로셈으로 나타낸 다음 다시 **정확성 UP**! 칸 노트에 세로셈으로 옮겨 쓰고, 자릿값에 맞추어 계산하면서 문제해결력을 강화합니다.

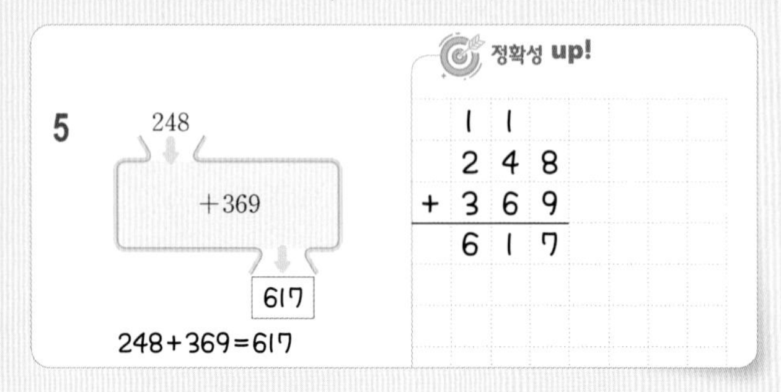

바른 계산, **빠른** 연산!

초능력 수학 연산

초등 수학

4·2

4학년 2학기
연계 학년 단원 구성

교과서 모든 영역별 계산 문제를 단원별로 묶어 한 학기를 끝내도록 구성되어 있어요.

이럴 땐 이렇게 교재를 선택하세요.

1. 해당 학기 교재 단원 중 어려워하는 단원은 이전 학기 교재를 선택하여 부족한 부분을 보충하세요.
2. 해당 학기 교재 단원을 완벽히 이해했으면 다음 학기 교재를 선택하여 실력을 키워요.

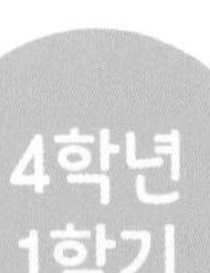

4학년 1학기

단원	학습 내용
1. 큰 수	다섯 자리 수, 천만에서 천조까지의 수, 뛰어 세기, 수의 크기 비교
2. 각도	각도의 합, 각도의 차
3. 곱셈	(몇백)×(몇십), (몇백몇십)×(몇십), (세 자리 수)×(몇십), (세 자리 수)×(두 자리 수)
4. 나눗셈	(몇백몇십)÷(몇십), (세 자리 수)÷(몇십), (두 자리 수)÷(두 자리 수), (세 자리 수)÷(두 자리 수)

4학년 2학기

단원	1. 분수의 덧셈
학습 내용	❶ 분모가 같은 진분수의 덧셈 ❷ 분모가 같은 대분수의 덧셈 ❸ 진분수 부분의 합이 1보다 큰 대분수의 덧셈

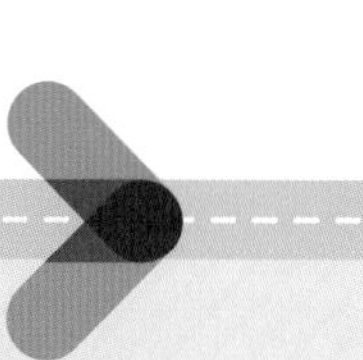

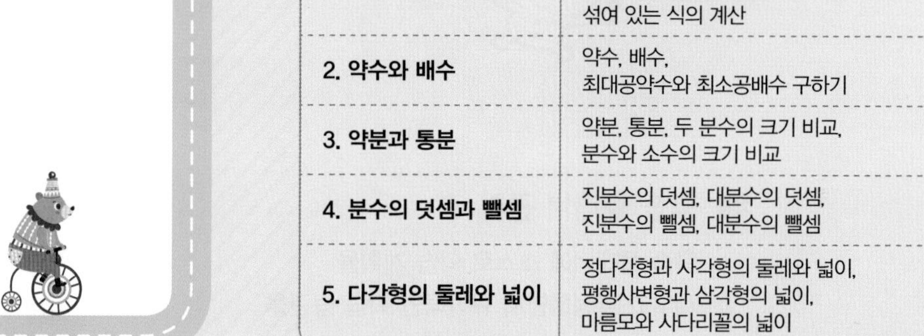

단원	학습 내용
1. 자연수의 혼합 계산	덧셈과 뺄셈이 섞여 있는 식의 계산, 곱셈과 나눗셈이 섞여 있는 식의 계산, 덧셈, 뺄셈, 곱셈, 나눗셈이 섞여 있는 식의 계산
2. 약수와 배수	약수, 배수, 최대공약수와 최소공배수 구하기
3. 약분과 통분	약분, 통분, 두 분수의 크기 비교, 분수와 소수의 크기 비교
4. 분수의 덧셈과 뺄셈	진분수의 덧셈, 대분수의 덧셈, 진분수의 뺄셈, 대분수의 뺄셈
5. 다각형의 둘레와 넓이	정다각형과 사각형의 둘레와 넓이, 평행사변형과 삼각형의 넓이, 마름모와 사다리꼴의 넓이

2. 분수의 뺄셈	3. 소수의 덧셈	4. 소수의 뺄셈
❶ 분모가 같은 진분수의 뺄셈 / $1-$(진분수)	❶ (소수 한 자리 수)+(소수 한 자리 수)	❶ (소수 한 자리 수)−(소수 한 자리 수)
❷ (대분수)−(대분수) / (대분수)−(가분수)	❷ (소수 두 자리 수)+(소수 두 자리 수)	❷ (소수 두 자리 수)−(소수 두 자리 수)
❸ (자연수)−(대분수)	❸ 1보다 큰 소수 한 자리 수의 덧셈	❸ 1보다 큰 소수 한 자리 수의 뺄셈
❹ 받아내림이 있는 대분수끼리의 뺄셈	❹ 1보다 큰 소수 두 자리 수의 덧셈	❹ 1보다 큰 소수 두 자리 수의 뺄셈
	❺ 자릿수가 다른 소수의 덧셈	❺ 자릿수가 다른 소수의 뺄셈
	❻ 세 소수의 덧셈	❻ 세 소수의 뺄셈
		❼ 세 소수의 덧셈과 뺄셈

이런 점이 좋아요!

학습 플래너 관리

학습 플래너에 스스로 학습 계획을
세우고 달성하면서 규칙적인 학습 습관을
키우도록 합니다.

특화 단원 집중 강화 학습

학년, 학기별 중요한 연산 단원을 집중 강화
학습할 수 있도록 구성하여 연산력을
완성합니다.

정확성을 길러주는 연산 쓰기 연습

기계적으로 단순 반복하는 연산 학습이 아닌
칸 노트를 활용하여 스스로 정확하게 쓰는
연습에 집중하도록 합니다.

연산 능력을 문제에 적용하는 학습

연산을 실전 문제에 적용하여 풀어볼 수 있어
연산력 뿐만 아니라 수학 실력도 향상시킵니다.

이렇게 구성되어 있어요!

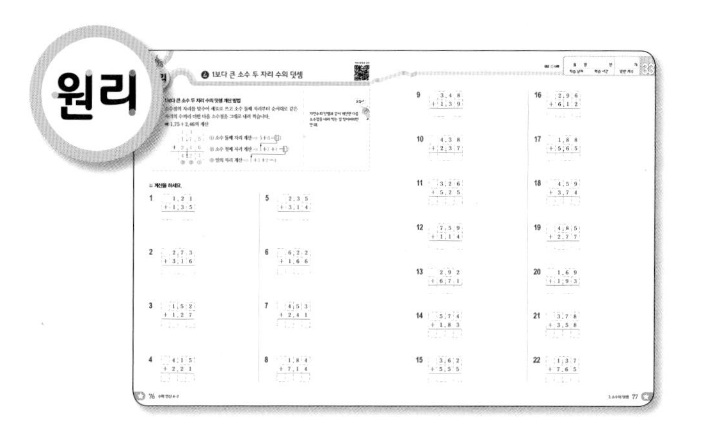

원리

학습 내용별 연산 원리를 문제로 설명하여 계산 원리를 스스로 익힙니다.

연산 원리 동영상 강의

QR코드를 스마트폰으로 찍으면 연산 원리 동영상 강의를 무료로 학습할 수 있습니다.

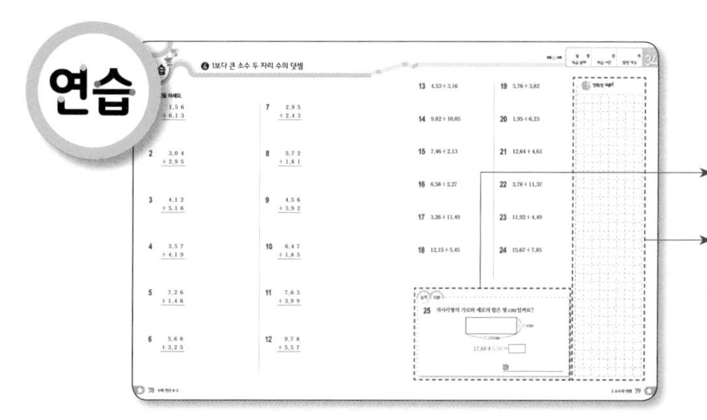

연습

학습 내용별 원리를 토대로 문제를 해결하면서 연습을 충분히 합니다.

실력 up 연산이 적용되는 실전 문제를 해결하면서 수학 실력을 키웁니다.

정확성 up! 칸 노트를 활용하여 자릿값에 맞추어 문제를 쓰고 해결하면서 정확성을 높입니다.

	2	5	1
+	7	3	1
	9	8	2

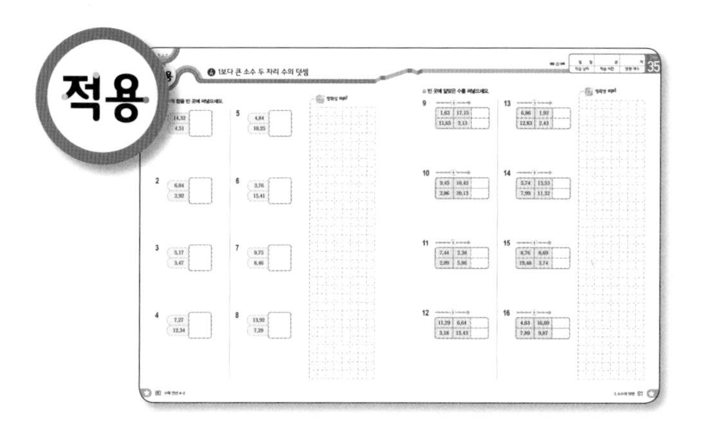

적용

학습 내용별 충분히 연습한 연산 원리를 유연하게 조작하여 스스로 문제를 해결하는 능력을 키웁니다.

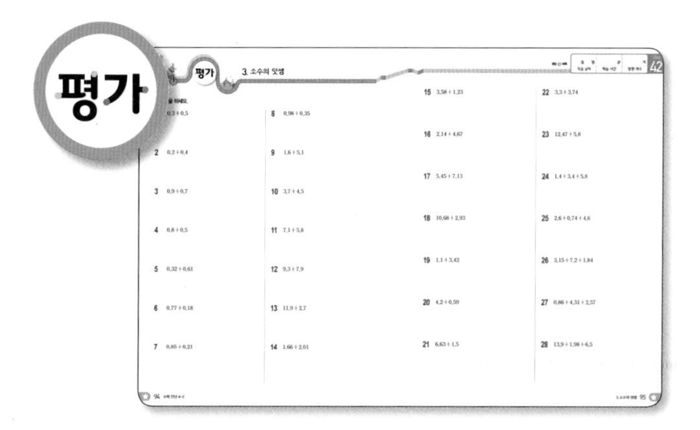

평가

학습 내용별 연습과 적용에서 학습한 내용을 토대로 한 단원의 내용을 종합적으로 확인합니다.

차례

강화

1 분수의 덧셈

학습 계획표

학습 내용	원리	연습	적용
❶ 분모가 같은 진분수의 덧셈	Day **01**	Day **02**	Day **03**
❷ 분모가 같은 대분수의 덧셈	Day **04**	Day **05**	Day **06**
❸ 진분수 부분의 합이 1보다 큰 대분수의 덧셈	Day **07**	Day **08**	Day **09**
평가		Day **10**	

학습 관리 tip 맨 앞장의 학습 플래너를 이용하여 학습 스케줄을 관리하도록 하세요!

원리 ❶ 분모가 같은 진분수의 덧셈

분모가 같은 진분수의 덧셈 계산 방법

- 분모는 그대로 두고 분자끼리 더합니다.

예 $\frac{1}{3}+\frac{1}{3}$의 계산

$\frac{1}{3}+\frac{1}{3}=\frac{1+1}{3}=\frac{2}{3}$

- 덧셈 결과가 가분수이면 대분수로 바꾸어 나타냅니다.

예 $\frac{4}{5}+\frac{2}{5}$의 계산

$\frac{4}{5}+\frac{2}{5}=\frac{4+2}{5}=\frac{6}{5}=1\frac{1}{5}$

가분수를 대분수로 바꿉니다.

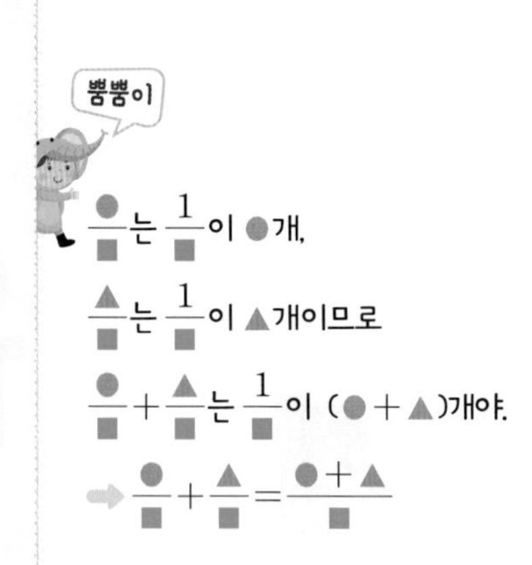

□ 안에 알맞은 수를 써넣으세요.

1 $\frac{1}{5}+\frac{3}{5}=\frac{\square+\square}{5}=\frac{\square}{\square}$

2 $\frac{1}{4}+\frac{2}{4}=\frac{\square+\square}{4}=\frac{\square}{\square}$

3 $\frac{3}{7}+\frac{2}{7}=\frac{\square+\square}{7}=\frac{\square}{\square}$

4 $\frac{2}{6}+\frac{2}{6}=\frac{\square+\square}{6}=\frac{\square}{\square}$

5 $\frac{3}{8}+\frac{4}{8}=\frac{\square+\square}{8}=\frac{\square}{\square}$

6 $\frac{2}{9}+\frac{5}{9}=\frac{\square+\square}{9}=\frac{\square}{\square}$

7 $\frac{3}{10}+\frac{5}{10}=\frac{\square+\square}{10}=\frac{\square}{\square}$

8 $\frac{3}{11}+\frac{6}{11}=\frac{\square+\square}{11}=\frac{\square}{\square}$

9 $\frac{3}{12}+\frac{7}{12}=\frac{\square+\square}{12}=\frac{\square}{\square}$

10 $\frac{4}{15}+\frac{8}{15}=\frac{\square+\square}{15}=\frac{\square}{\square}$

11 $\frac{3}{4}+\frac{2}{4}=\frac{\square+\square}{4}=\frac{\square}{4}=\square\frac{\square}{\square}$

12 $\frac{6}{7}+\frac{3}{7}=\frac{\square+\square}{7}=\frac{\square}{7}=\square\frac{\square}{\square}$

13 $\frac{4}{6}+\frac{4}{6}=\frac{\square+\square}{6}=\frac{\square}{6}=\square\frac{\square}{\square}$

14 $\frac{7}{8}+\frac{6}{8}=\frac{\square+\square}{8}=\frac{\square}{8}=\square\frac{\square}{\square}$

15 $\frac{6}{10}+\frac{7}{10}=\frac{\square+\square}{10}=\frac{\square}{10}=\square\frac{\square}{\square}$

16 $\frac{3}{11}+\frac{9}{11}=\frac{\square+\square}{11}=\frac{\square}{11}=\square\frac{\square}{\square}$

17 $\frac{6}{9}+\frac{7}{9}=\frac{\square+\square}{9}=\frac{\square}{9}=\square\frac{\square}{\square}$

18 $\frac{5}{12}+\frac{8}{12}=\frac{\square+\square}{12}=\frac{\square}{12}=\square\frac{\square}{\square}$

19 $\frac{11}{14}+\frac{5}{14}=\frac{\square+\square}{14}=\frac{\square}{14}=\square\frac{\square}{\square}$

20 $\frac{6}{13}+\frac{10}{13}=\frac{\square+\square}{13}=\frac{\square}{13}=\square\frac{\square}{\square}$

21 $\frac{8}{15}+\frac{8}{15}=\frac{\square+\square}{15}=\frac{\square}{15}=\square\frac{\square}{\square}$

22 $\frac{9}{17}+\frac{12}{17}=\frac{\square+\square}{17}=\frac{\square}{17}=\square\frac{\square}{\square}$

연습 ❶ 분모가 같은 진분수의 덧셈

:: 계산을 하세요.

1 $\frac{2}{5}+\frac{2}{5}$

2 $\frac{1}{6}+\frac{4}{6}$

3 $\frac{4}{7}+\frac{2}{7}$

4 $\frac{3}{9}+\frac{3}{9}$

5 $\frac{7}{10}+\frac{2}{10}$

6 $\frac{5}{8}+\frac{1}{8}$

7 $\frac{6}{13}+\frac{4}{13}$

8 $\frac{8}{11}+\frac{2}{11}$

9 $\frac{5}{12}+\frac{6}{12}$

10 $\frac{4}{9}+\frac{3}{9}$

11 $\frac{6}{10}+\frac{1}{10}$

12 $\frac{2}{8}+\frac{3}{8}$

13 $\frac{8}{12}+\frac{3}{12}$

14 $\frac{11}{14}+\frac{2}{14}$

15 $\frac{8}{17}+\frac{7}{17}$

16 $\frac{11}{20}+\frac{3}{20}$

17 $\frac{3}{4}+\frac{3}{4}$

18 $\frac{5}{7}+\frac{6}{7}$

19 $\frac{4}{5}+\frac{4}{5}$

20 $\frac{4}{8}+\frac{7}{8}$

21 $\frac{5}{6}+\frac{2}{6}$

22 $\frac{8}{9}+\frac{5}{9}$

23 $\frac{7}{11}+\frac{7}{11}$

24 $\frac{9}{10}+\frac{6}{10}$

25 $\frac{4}{12}+\frac{11}{12}$

26 $\frac{10}{13}+\frac{12}{13}$

27 $\frac{9}{15}+\frac{7}{15}$

28 $\frac{13}{16}+\frac{8}{16}$

29 $\frac{15}{19}+\frac{6}{19}$

30 $\frac{8}{20}+\frac{17}{20}$

31 무게가 $\frac{20}{25}$ kg인 빈 통이 있습니다. 이 통에 쌀 $\frac{21}{25}$ kg을 담아 무게를 재면 몇 kg일까요?

$$\frac{20}{25}+\frac{21}{25}=\square\frac{\square}{\square}$$

적용

❶ 분모가 같은 진분수의 덧셈

빈 곳에 알맞은 수를 써넣으세요.

1

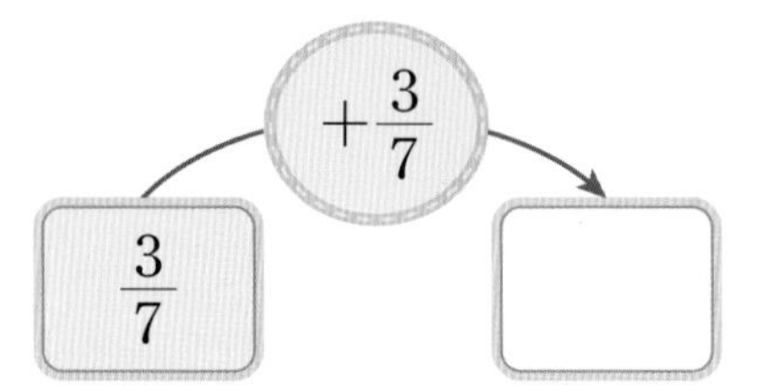

2

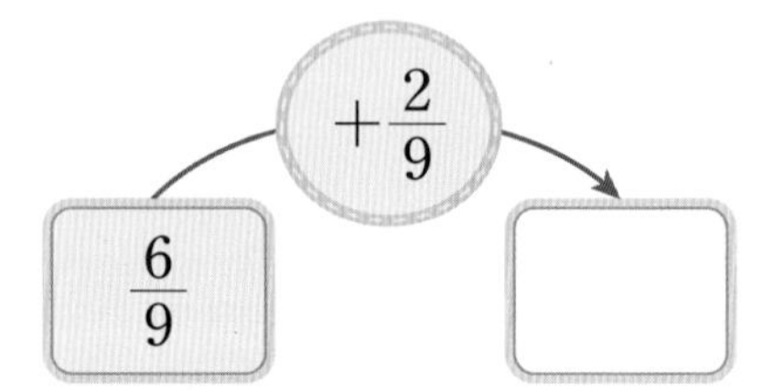

3

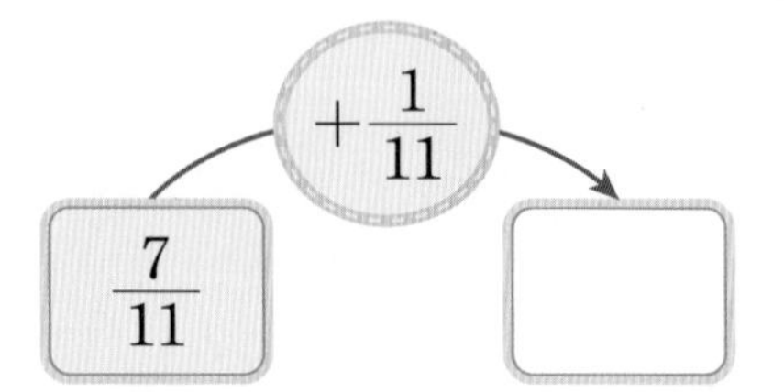

4

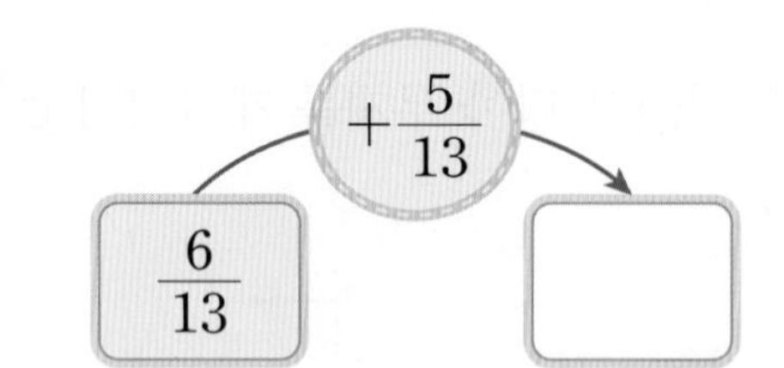

5

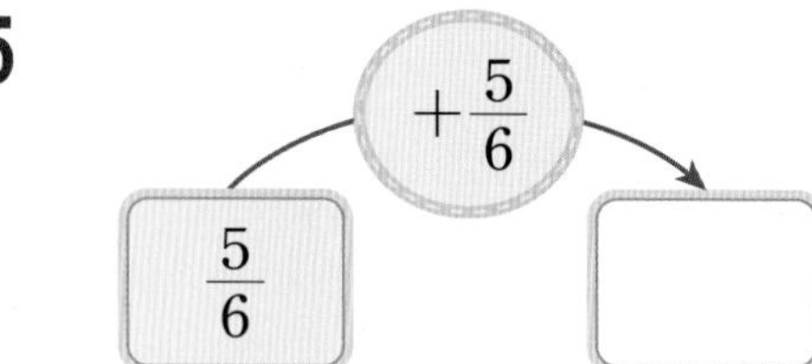

6

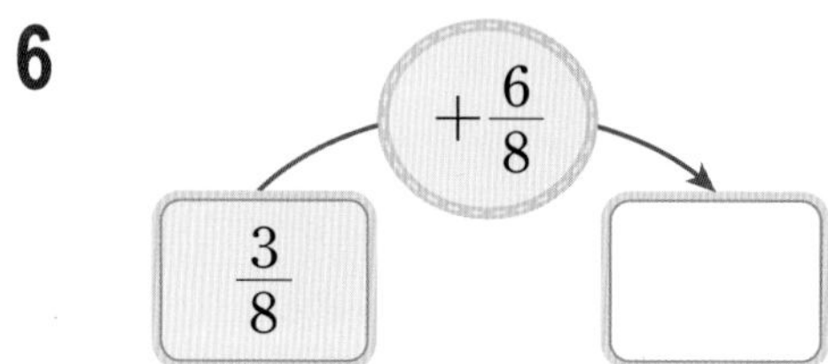

7

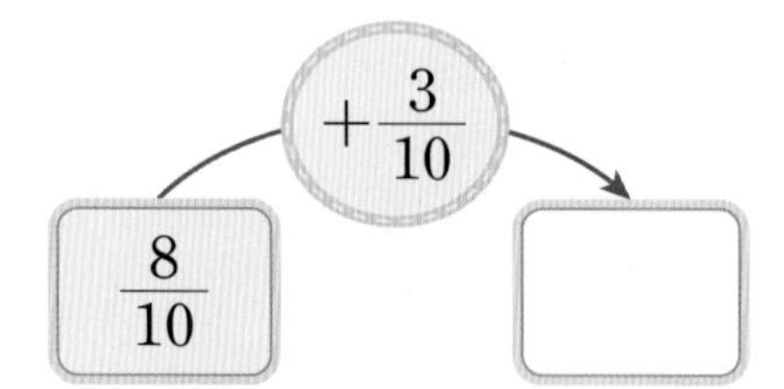

8

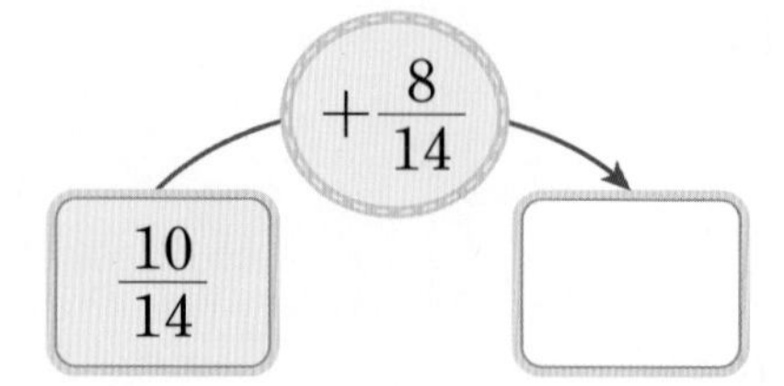

빈 곳에 알맞은 수를 써넣으세요.

9 $\frac{7}{14}$ | $+\frac{4}{14}$ | ( )

10 $\frac{10}{15}$ | $+\frac{3}{15}$ | ( )

11 $\frac{4}{16}$ | $+\frac{9}{16}$ | ( )

12 $\frac{9}{19}$ | $+\frac{5}{19}$ | ( )

13 $\frac{7}{12}$ | $+\frac{9}{12}$ | ( )

14 $\frac{11}{17}$ | $+\frac{12}{17}$ | ( )

15 $\frac{13}{20}$ | $+\frac{14}{20}$ | ( )

16 $\frac{17}{27}$ | $+\frac{16}{27}$ | ( )

② 분모가 같은 대분수의 덧셈

분모가 같은 대분수의 덧셈 계산 방법

자연수는 자연수끼리, 분수는 분수끼리 더하는 방법과 대분수를 가분수로 바꾸어 계산하는 방법이 있습니다. 이때 계산 결과는 대분수로 나타냅니다.

예 $1\frac{2}{4}+1\frac{1}{4}$의 계산

방법 1 $1\frac{2}{4}+1\frac{1}{4}=(1+1)+\left(\frac{2}{4}+\frac{1}{4}\right)=2\frac{3}{4}$

방법 2 $1\frac{2}{4}+1\frac{1}{4}=\frac{6}{4}+\frac{5}{4}=\frac{11}{4}=2\frac{3}{4}$

조심이

분모가 같은 분수의 덧셈에서 분모는 분모끼리, 분자는 분자끼리 더하면 안 돼.

$1\frac{2}{4}+1\frac{1}{4}$

$=(1+1)+\left(\frac{2}{4}+\frac{1}{4}\right)$

$=2\frac{3}{8}$ ✕

□ 안에 알맞은 수를 써넣으세요.

1 $1\frac{2}{5}+1\frac{2}{5}=(1+\square)+\left(\frac{\square}{5}+\frac{\square}{5}\right)$
$=\square\frac{\square}{5}$

2 $1\frac{1}{6}+2\frac{3}{6}=(1+\square)+\left(\frac{\square}{6}+\frac{\square}{6}\right)$
$=\square\frac{\square}{6}$

3 $3\frac{4}{8}+1\frac{2}{8}=(3+\square)+\left(\frac{\square}{8}+\frac{\square}{8}\right)$
$=\square\frac{\square}{8}$

4 $1\frac{3}{7}+1\frac{2}{7}=(1+\square)+\left(\frac{\square}{7}+\frac{\square}{7}\right)$
$=\square\frac{\square}{7}$

5 $2\frac{3}{9}+2\frac{4}{9}=(2+\square)+\left(\frac{\square}{9}+\frac{\square}{9}\right)$
$=\square\frac{\square}{9}$

6 $3\frac{3}{10}+4\frac{5}{10}=(3+\square)+\left(\frac{\square}{10}+\frac{\square}{10}\right)$
$=\square\frac{\square}{10}$

7 $3\frac{6}{11}+1\frac{4}{11}=(3+\square)+\left(\frac{\square}{11}+\frac{\square}{11}\right)$
$=\square\frac{\square}{11}$

8 $2\frac{9}{13}+4\frac{2}{13}=(2+\square)+\left(\frac{\square}{13}+\frac{\square}{13}\right)$
$=\square\frac{\square}{13}$

정답 2쪽

월 일	분	개
학습 날짜	학습 시간	맞힌 개수

9 $3\frac{4}{12}+2\frac{5}{12}=(3+\square)+\left(\frac{\square}{12}+\frac{\square}{12}\right)$

$=\square\frac{\square}{12}$

10 $5\frac{7}{15}+1\frac{2}{15}=(5+\square)+\left(\frac{\square}{15}+\frac{\square}{15}\right)$

$=\square\frac{\square}{15}$

11 $3\frac{3}{8}+4\frac{1}{8}=(3+\square)+\left(\frac{\square}{8}+\frac{\square}{8}\right)$

$=\square\frac{\square}{8}$

12 $2\frac{9}{14}+3\frac{1}{14}=(2+\square)+\left(\frac{\square}{14}+\frac{\square}{14}\right)$

$=\square\frac{\square}{14}$

13 $2\frac{2}{6}+1\frac{3}{6}=\frac{\square}{6}+\frac{9}{6}=\frac{\square}{6}$

$=\square\frac{\square}{6}$

14 $6\frac{1}{3}+3\frac{1}{3}=\frac{\square}{3}+\frac{10}{3}=\frac{\square}{3}$

$=\square\frac{\square}{3}$

15 $1\frac{5}{9}+3\frac{1}{9}=\frac{\square}{9}+\frac{28}{9}=\frac{\square}{9}$

$=\square\frac{\square}{9}$

16 $3\frac{2}{7}+2\frac{4}{7}=\frac{\square}{7}+\frac{18}{7}=\frac{\square}{7}$

$=\square\frac{\square}{7}$

17 $2\frac{4}{10}+1\frac{5}{10}=\frac{\square}{10}+\frac{15}{10}=\frac{\square}{10}$

$=\square\frac{\square}{10}$

18 $3\frac{7}{11}+1\frac{2}{11}=\frac{\square}{11}+\frac{13}{11}=\frac{\square}{11}$

$=\square\frac{\square}{11}$

19 $2\frac{9}{15}+2\frac{5}{15}=\frac{\square}{15}+\frac{35}{15}=\frac{\square}{15}$

$=\square\frac{\square}{15}$

20 $4\frac{3}{17}+4\frac{8}{17}=\frac{\square}{17}+\frac{76}{17}=\frac{\square}{17}$

$=\square\frac{\square}{17}$

❷ 분모가 같은 대분수의 덧셈

계산을 하세요.

1 $2\frac{1}{4}+3\frac{1}{4}$

2 $5\frac{1}{5}+2\frac{2}{5}$

3 $3\frac{3}{7}+1\frac{1}{7}$

4 $2\frac{2}{6}+3\frac{2}{6}$

5 $2\frac{4}{8}+1\frac{3}{8}$

6 $4\frac{6}{10}+3\frac{3}{10}$

7 $1\frac{2}{12}+5\frac{8}{12}$

8 $3\frac{6}{15}+2\frac{6}{15}$

9 $4\frac{1}{8}+3\frac{5}{8}$

10 $2\frac{2}{9}+2\frac{6}{9}$

11 $1\frac{8}{11}+1\frac{2}{11}$

12 $5\frac{4}{7}+2\frac{1}{7}$

13 $3\frac{7}{14}+1\frac{4}{14}$

14 $6\frac{5}{13}+2\frac{6}{13}$

15 $4\frac{2}{10}+2\frac{2}{10}$

16 $7\frac{1}{9}+1\frac{3}{9}$

17 $2\frac{3}{11}+2\frac{2}{11}$

18 $2\frac{5}{15}+3\frac{7}{15}$

19 $3\frac{8}{12}+4\frac{1}{12}$

20 $1\frac{3}{14}+6\frac{4}{14}$

21 $5\frac{1}{8}+7\frac{2}{8}$

22 $3\frac{9}{17}+4\frac{2}{17}$

23 $4\frac{3}{16}+2\frac{5}{16}$

24 $1\frac{7}{19}+1\frac{2}{19}$

25 $1\frac{6}{20}+3\frac{13}{20}$

26 $5\frac{4}{17}+3\frac{11}{17}$

27 $1\frac{2}{19}+4\frac{5}{19}$

28 $1\frac{11}{21}+1\frac{9}{21}$

29 $2\frac{8}{25}+1\frac{7}{25}$

실력 up

30 보라색 테이프 $3\frac{3}{20}$ m와 노란색 테이프 $2\frac{6}{20}$ m를 겹치는 부분 없이 이어 붙였습니다. 이어 붙인 색 테이프의 전체 길이는 몇 m일까요?

$3\frac{3}{20}$ m　$2\frac{6}{20}$ m

$3\frac{3}{20}+2\frac{6}{20}=\square$

 답

적용 ❷ 분모가 같은 대분수의 덧셈

빈 곳에 알맞은 수를 써넣으세요.

1

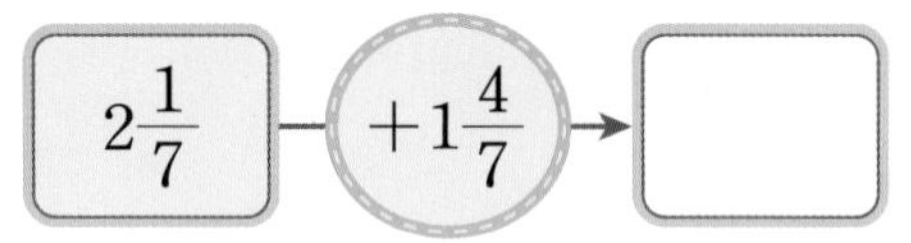

2 $2\frac{2}{9}$ → $+3\frac{5}{9}$ → □

3 $5\frac{3}{10}$ → $+2\frac{3}{10}$ → □

4 $3\frac{4}{11}$ → $+4\frac{2}{11}$ → □

5 $3\frac{5}{14}$ → $+4\frac{5}{14}$ → □

6 $3\frac{3}{15}$ → $+2\frac{6}{15}$ → □

7 $1\frac{10}{17}$ → $+7\frac{5}{17}$ → □

8 $2\frac{1}{13}$ → $+2\frac{9}{13}$ → □

□ 안에 알맞은 수를 써넣으세요.

9 $1\frac{5}{12}$ → $+3\frac{3}{12}$ → □

10 $2\frac{2}{10}$ → $+4\frac{4}{10}$ → □

11 $3\frac{7}{13}$ → $+1\frac{5}{13}$ → □

12 $4\frac{2}{15}$ → $+5\frac{12}{15}$ → □

13 $2\frac{10}{14}$ → $+1\frac{2}{14}$ → □

14 $1\frac{3}{19}$ → $+5\frac{11}{19}$ → □

15 $2\frac{7}{20}$ → $+4\frac{8}{20}$ → □

16 $3\frac{11}{22}$ → $+2\frac{9}{22}$ → □

연습 ❸ 진분수 부분의 합이 1보다 큰 대분수의 덧셈

∷ 계산을 하세요.

1 $1\frac{2}{4}+2\frac{3}{4}$

2 $1\frac{5}{6}+1\frac{5}{6}$

3 $2\frac{4}{8}+1\frac{7}{8}$

4 $3\frac{6}{7}+2\frac{4}{7}$

5 $3\frac{4}{5}+5\frac{4}{5}$

6 $2\frac{8}{9}+2\frac{3}{9}$

7 $1\frac{11}{12}+4\frac{2}{12}$

8 $4\frac{6}{10}+4\frac{9}{10}$

9 $1\frac{5}{11}+3\frac{10}{11}$

10 $2\frac{13}{15}+1\frac{7}{15}$

11 $6\frac{7}{9}+3\frac{6}{9}$

12 $5\frac{2}{6}+5\frac{4}{6}$

13 $3\frac{8}{10}+2\frac{4}{10}$

14 $1\frac{12}{13}+1\frac{5}{13}$

15 $2\frac{10}{14}+3\frac{6}{14}$

16 $4\frac{8}{15}+1\frac{14}{15}$

17 $2\frac{8}{11}+2\frac{5}{11}$

18 $4\frac{7}{12}+3\frac{10}{12}$

19 $3\frac{13}{14}+2\frac{3}{14}$

20 $2\frac{6}{16}+7\frac{15}{16}$

21 $1\frac{9}{13}+9\frac{8}{13}$

22 $3\frac{12}{17}+2\frac{13}{17}$

23 $1\frac{14}{20}+1\frac{10}{20}$

24 $2\frac{17}{19}+5\frac{13}{19}$

25 $1\frac{14}{16}+2\frac{11}{16}$

26 $5\frac{5}{18}+1\frac{16}{18}$

27 $2\frac{19}{22}+2\frac{9}{22}$

28 $2\frac{22}{24}+3\frac{8}{24}$

29 $3\frac{20}{25}+1\frac{15}{25}$

실력 up

30 집에서 학교까지의 거리는 $1\frac{7}{20}$ km이고 학교에서 소방서까지의 거리는 $3\frac{14}{20}$ km입니다. 집에서 학교를 지나 소방서까지의 거리는 몇 km일까요?

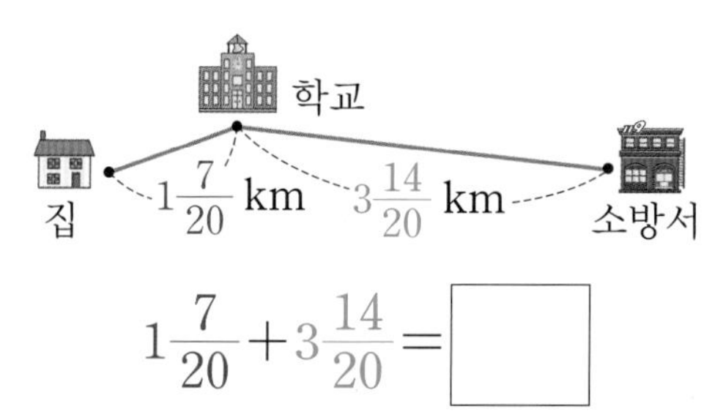

$1\frac{7}{20}+3\frac{14}{20}=$ ☐

답

적용

❸ 진분수 부분의 합이 1보다 큰 대분수의 덧셈

두 분수의 합을 빈 곳에 써넣으세요.

1

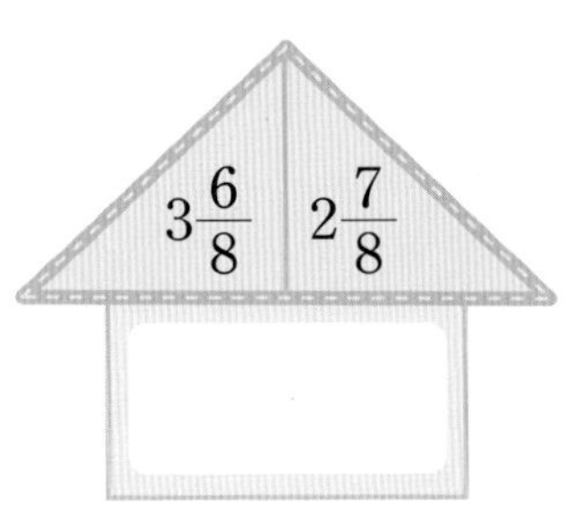

2

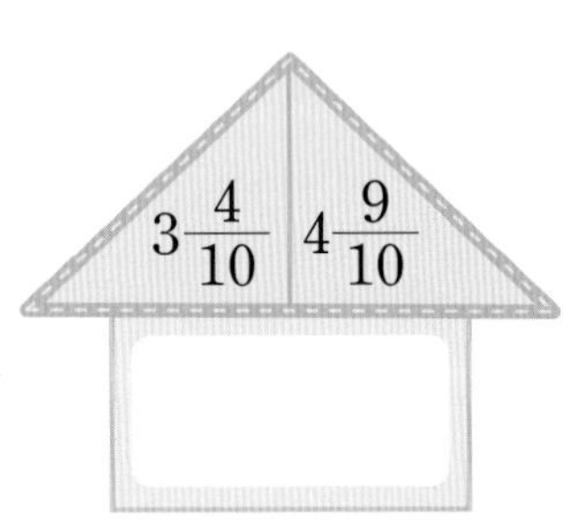

3

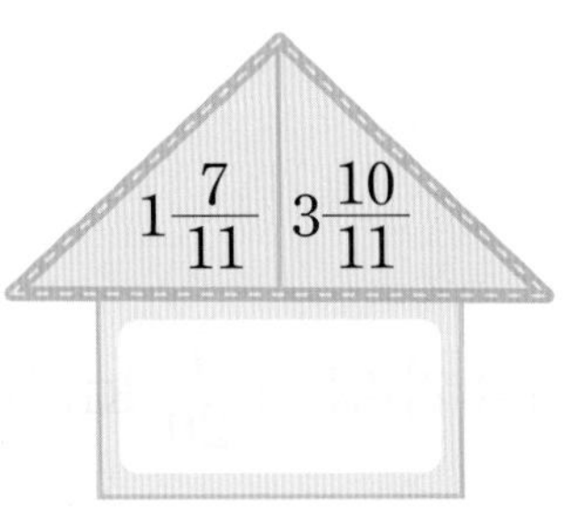

4

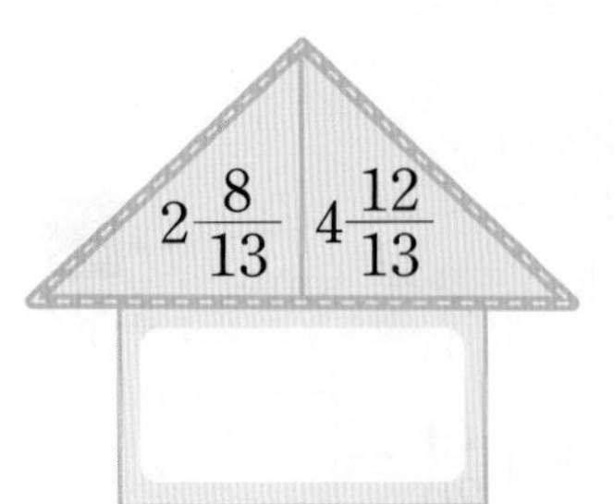

5

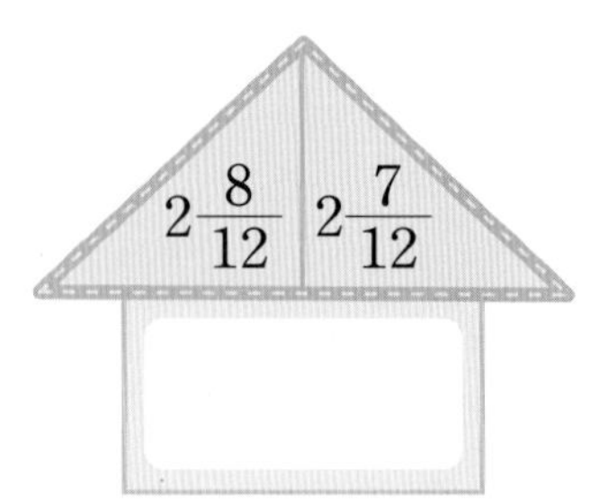

6

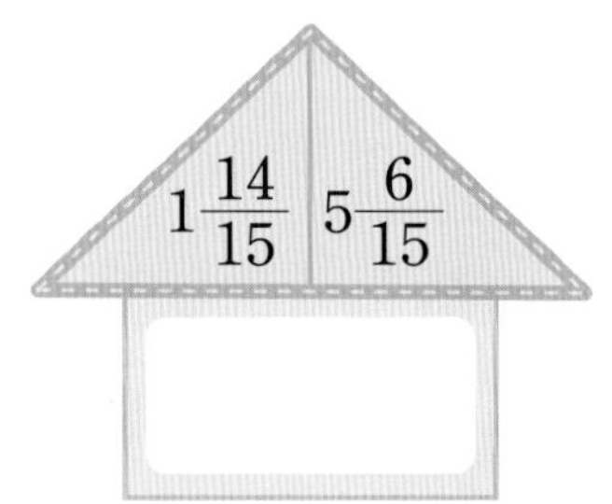

7

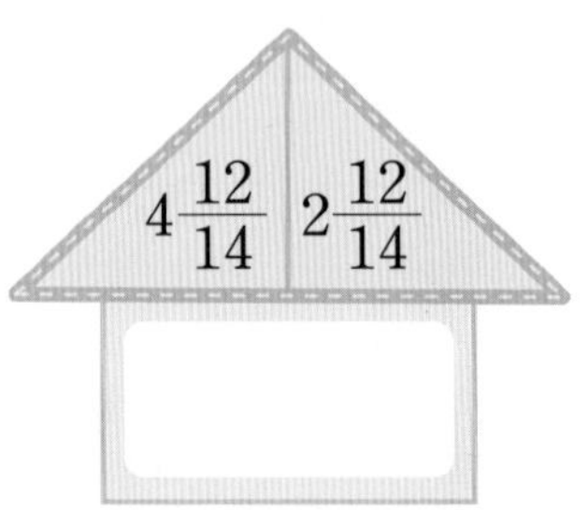

8

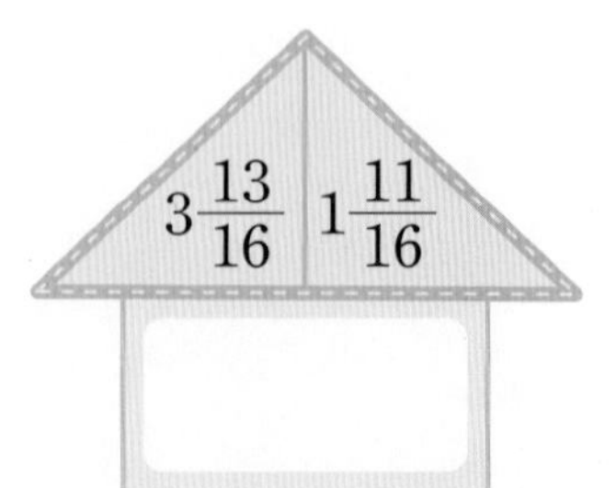

빈 곳에 알맞은 수를 써넣으세요.

9

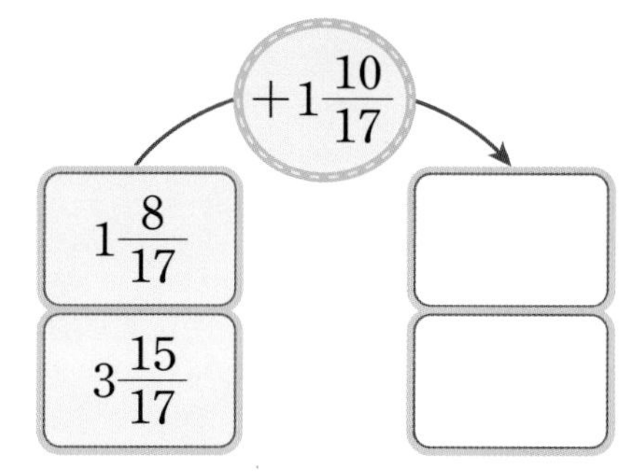

10

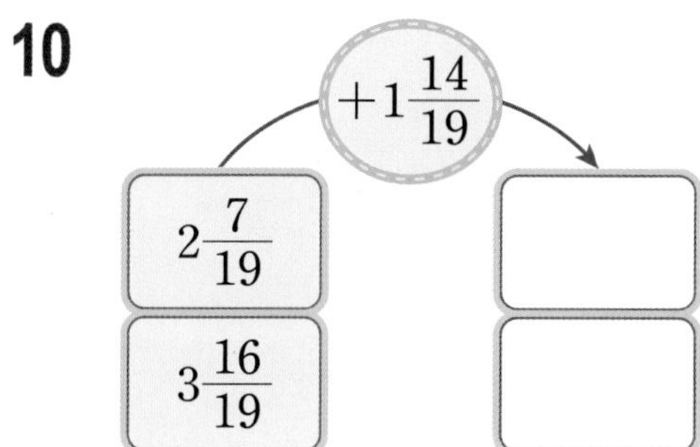

11

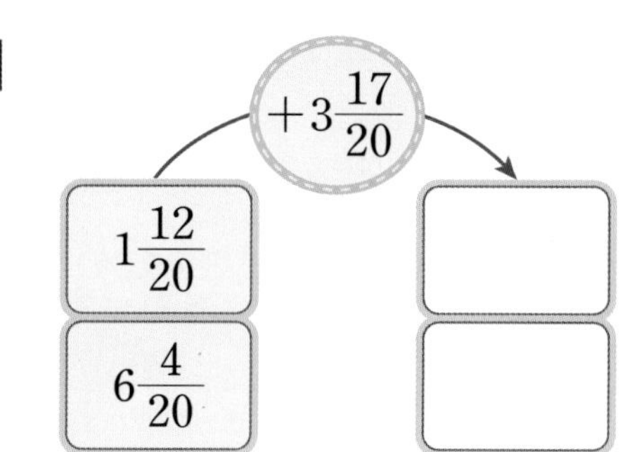

12

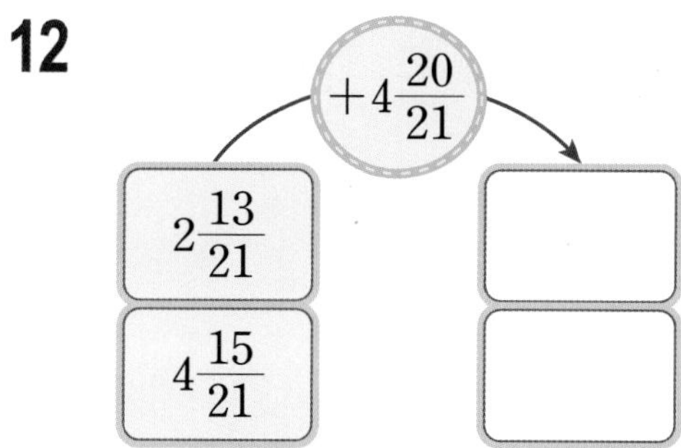

13

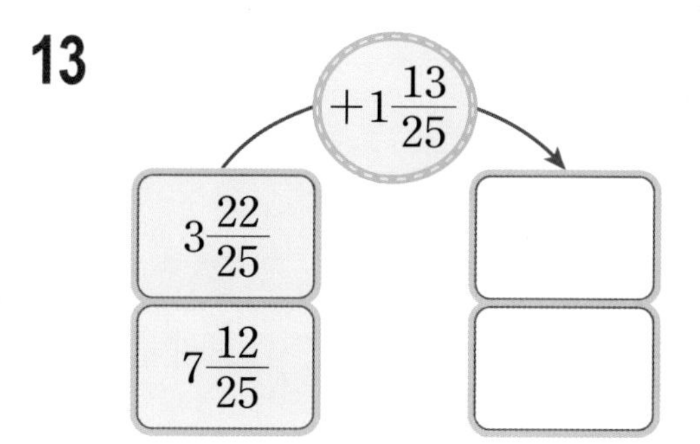

14

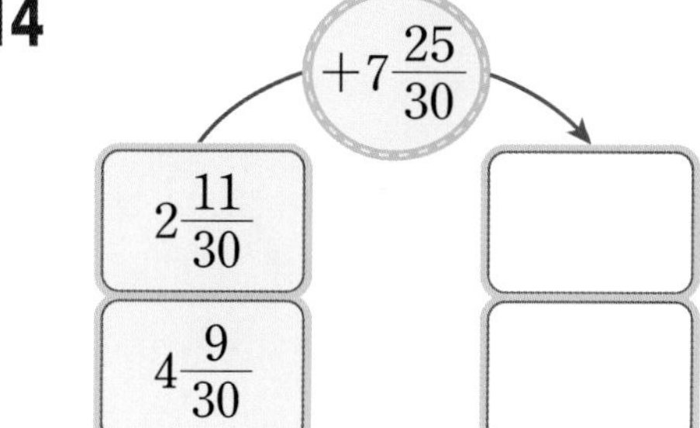

평가 1. 분수의 덧셈

계산을 하세요.

1 $\frac{1}{6}+\frac{2}{6}$

2 $\frac{4}{8}+\frac{1}{8}$

3 $\frac{5}{9}+\frac{3}{9}$

4 $\frac{4}{11}+\frac{4}{11}$

5 $\frac{3}{13}+\frac{8}{13}$

6 $\frac{7}{12}+\frac{2}{12}$

7 $\frac{8}{10}+\frac{9}{10}$

8 $\frac{9}{11}+\frac{10}{11}$

9 $\frac{11}{12}+\frac{7}{12}$

10 $\frac{13}{15}+\frac{10}{15}$

11 $\frac{9}{13}+\frac{6}{13}$

12 $1\frac{3}{8}+2\frac{2}{8}$

13 $3\frac{2}{10}+2\frac{6}{10}$

14 $3\frac{3}{11}+4\frac{4}{11}$

15 $5\frac{6}{9}+1\frac{1}{9}$

16 $3\frac{5}{12}+4\frac{3}{12}$

17 $1\frac{10}{15}+2\frac{4}{15}$

18 $3\frac{7}{14}+1\frac{6}{14}$

19 $6\frac{3}{10}+4\frac{2}{10}$

20 $2\frac{7}{9}+3\frac{3}{9}$

21 $7\frac{5}{8}+2\frac{5}{8}$

22 $1\frac{11}{13}+4\frac{12}{13}$

23 $2\frac{9}{11}+2\frac{3}{11}$

24 $1\frac{12}{16}+5\frac{6}{16}$

25 $3\frac{8}{15}+1\frac{12}{15}$

26 $6\frac{4}{12}+5\frac{9}{12}$

27 $3\frac{15}{17}+1\frac{15}{17}$

28 $4\frac{16}{20}+2\frac{10}{20}$

:: 빈 곳에 알맞은 수를 써넣으세요.

29

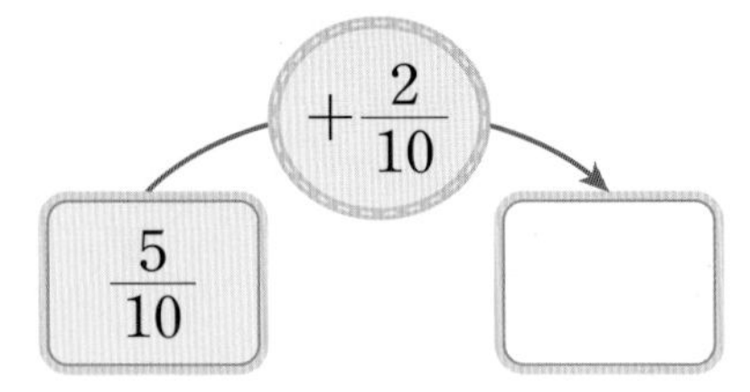

30

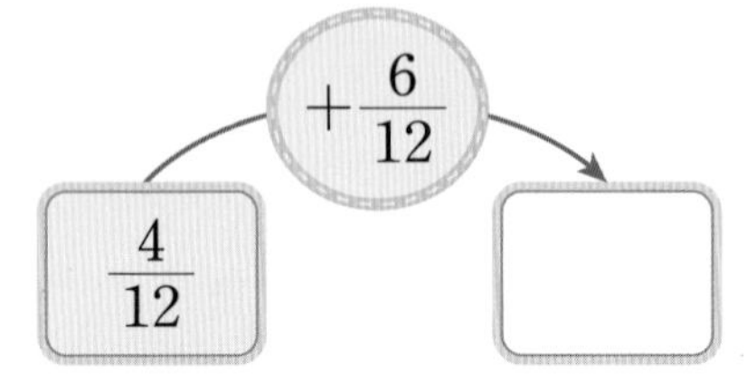

:: □ 안에 알맞은 수를 써넣으세요.

31

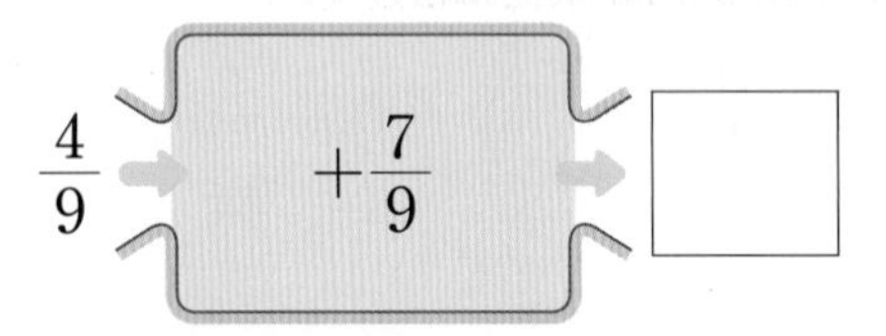

32

$\frac{12}{15}$ → $+\frac{8}{15}$ → □

:: 빈 곳에 알맞은 수를 써넣으세요.

33

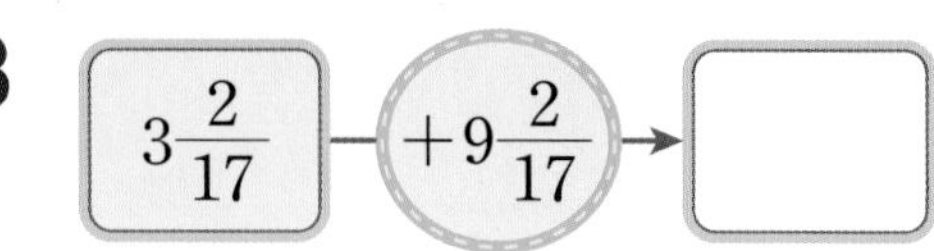

34

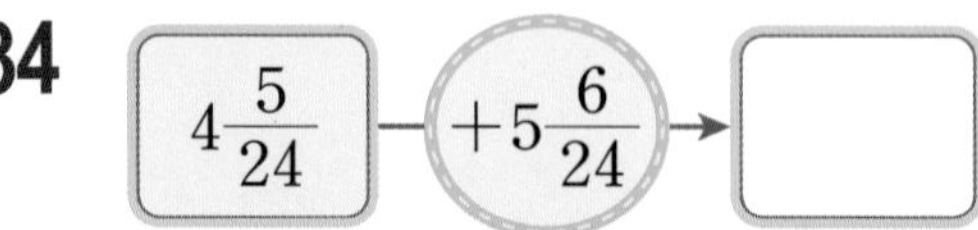

:: 두 분수의 합을 빈 곳에 써넣으세요.

35

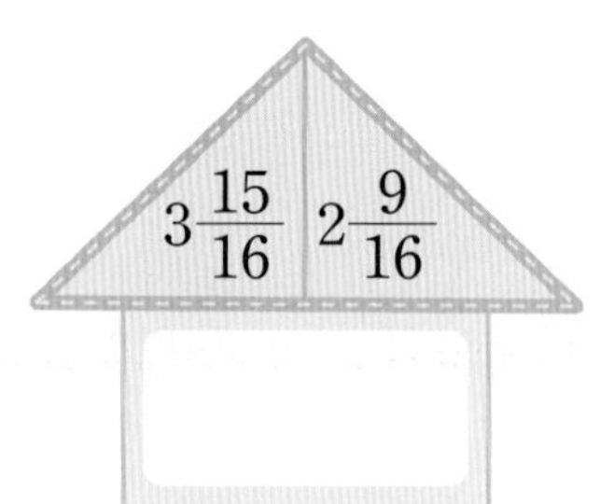

36

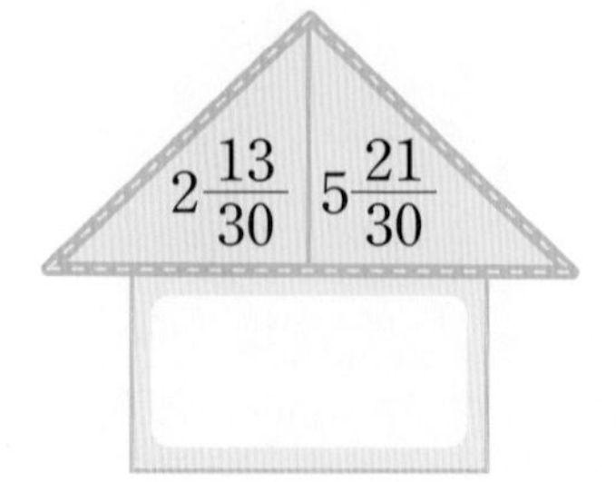

2 분수의 뺄셈

학습 계획표

학습 내용	원리	연습	적용
❶ 분모가 같은 진분수의 뺄셈 / 1−(진분수)	Day 11	Day 12	Day 13
❷ (대분수)−(대분수) / (대분수)−(가분수)	Day 14	Day 15	Day 16
❸ (자연수)−(대분수)	Day 17	Day 18	Day 19
❹ 받아내림이 있는 대분수끼리의 뺄셈	Day 20	Day 21	Day 22
평가		Day 23	

학습 관리 tip 맨 앞장의 학습 플래너를 이용하여 학습 스케줄을 관리하도록 하세요!

원리

❶ 분모가 같은 진분수의 뺄셈 / 1 − (진분수)

분모가 같은 진분수의 뺄셈 계산 방법

분모는 그대로 두고 분자끼리 뺍니다.

예 $\frac{3}{4}-\frac{1}{4}$의 계산

$$\frac{3}{4}-\frac{1}{4}=\frac{3-1}{4}=\frac{2}{4}$$

1 − (진분수)의 계산 방법

자연수 1을 빼는 진분수와 분모가 같은 분수로 바꾼 다음 분모는 그대로 두고 분자끼리 뺍니다.

예 $1-\frac{2}{5}$의 계산

$$1-\frac{2}{5}=\frac{5}{5}-\frac{2}{5}=\frac{5-2}{5}=\frac{3}{5}$$

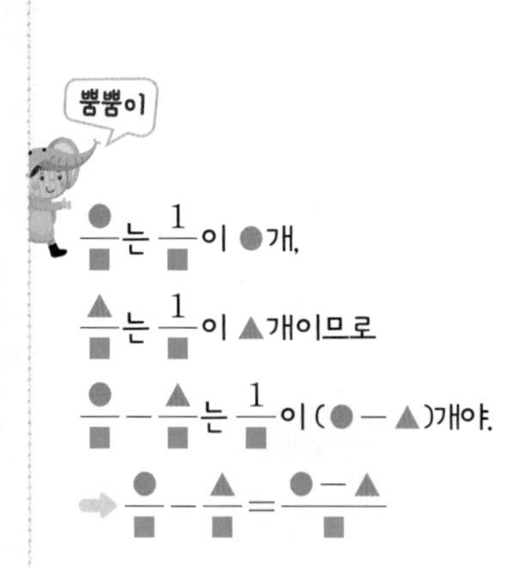

□ 안에 알맞은 수를 써넣으세요.

1 $\frac{2}{3}-\frac{1}{3}=\frac{\square-\square}{3}=\frac{\square}{\square}$

2 $\frac{4}{5}-\frac{2}{5}=\frac{\square-\square}{5}=\frac{\square}{\square}$

3 $\frac{3}{7}-\frac{2}{7}=\frac{\square-\square}{7}=\frac{\square}{\square}$

4 $\frac{5}{6}-\frac{1}{6}=\frac{\square-\square}{6}=\frac{\square}{\square}$

5 $\frac{4}{8}-\frac{3}{8}=\frac{\square-\square}{8}=\frac{\square}{\square}$

6 $\frac{5}{9}-\frac{2}{9}=\frac{\square-\square}{9}=\frac{\square}{\square}$

7 $\frac{6}{10}-\frac{5}{10}=\frac{\square-\square}{10}=\frac{\square}{\square}$

8 $\frac{8}{11}-\frac{4}{11}=\frac{\square-\square}{11}=\frac{\square}{\square}$

9 $\frac{10}{12}-\frac{7}{12}=\frac{\square-\square}{12}=\frac{\square}{\square}$

10 $\frac{13}{15}-\frac{6}{15}=\frac{\square-\square}{15}=\frac{\square}{\square}$

11 $1-\frac{2}{4}=\frac{\square}{4}-\frac{2}{4}=\frac{\square-\square}{4}=\frac{\square}{\square}$

12 $1-\frac{5}{6}=\frac{\square}{6}-\frac{5}{6}=\frac{\square-\square}{6}=\frac{\square}{\square}$

13 $1-\frac{3}{7}=\frac{\square}{7}-\frac{3}{7}=\frac{\square-\square}{7}=\frac{\square}{\square}$

14 $1-\frac{2}{9}=\frac{\square}{9}-\frac{2}{9}=\frac{\square-\square}{9}=\frac{\square}{\square}$

15 $1-\frac{8}{10}=\frac{\square}{10}-\frac{8}{10}=\frac{\square-\square}{10}=\frac{\square}{\square}$

16 $1-\frac{2}{12}=\frac{\square}{12}-\frac{2}{12}=\frac{\square-\square}{12}=\frac{\square}{\square}$

17 $1-\frac{9}{11}=\frac{\square}{11}-\frac{9}{11}=\frac{\square-\square}{11}=\frac{\square}{\square}$

18 $1-\frac{8}{14}=\frac{\square}{14}-\frac{8}{14}=\frac{\square-\square}{14}=\frac{\square}{\square}$

19 $1-\frac{11}{15}=\frac{\square}{15}-\frac{11}{15}=\frac{\square-\square}{15}=\frac{\square}{\square}$

20 $1-\frac{10}{17}=\frac{\square}{17}-\frac{10}{17}=\frac{\square-\square}{17}=\frac{\square}{\square}$

21 $1-\frac{3}{19}=\frac{\square}{19}-\frac{3}{19}=\frac{\square-\square}{19}=\frac{\square}{\square}$

22 $1-\frac{17}{20}=\frac{\square}{20}-\frac{17}{20}=\frac{\square-\square}{20}=\frac{\square}{\square}$

연습 ❶ 분모가 같은 진분수의 뺄셈 / 1 − (진분수)

계산을 하세요.

1 $\frac{2}{4}-\frac{1}{4}$

2 $\frac{4}{6}-\frac{2}{6}$

3 $\frac{6}{7}-\frac{1}{7}$

4 $\frac{8}{9}-\frac{4}{9}$

5 $\frac{7}{10}-\frac{3}{10}$

6 $\frac{5}{8}-\frac{1}{8}$

7 $\frac{10}{11}-\frac{7}{11}$

8 $\frac{9}{10}-\frac{8}{10}$

9 $\frac{11}{12}-\frac{2}{12}$

10 $\frac{9}{13}-\frac{8}{13}$

11 $\frac{12}{14}-\frac{11}{14}$

12 $\frac{14}{16}-\frac{7}{16}$

13 $\frac{15}{19}-\frac{13}{19}$

14 $\frac{19}{20}-\frac{2}{20}$

15 $\frac{20}{22}-\frac{10}{22}$

16 $\frac{23}{25}-\frac{16}{25}$

17 $1-\frac{3}{5}$

18 $1-\frac{6}{7}$

19 $1-\frac{2}{6}$

20 $1-\frac{5}{8}$

21 $1-\frac{7}{9}$

22 $1-\frac{3}{11}$

23 $1-\frac{10}{12}$

24 $1-\frac{4}{10}$

25 $1-\frac{11}{13}$

26 $1-\frac{9}{15}$

27 $1-\frac{12}{16}$

28 $1-\frac{15}{20}$

29 $1-\frac{19}{23}$

30 $1-\frac{24}{30}$

실력 up

31 정아는 미술 시간에 길이가 1 m인 철사 중에서 $\frac{22}{25}$ m를 잘라 사용했습니다. 남아 있는 철사는 몇 m일까요?

$$1-\frac{22}{25}=\square$$

답

적용 ❶ 분모가 같은 진분수의 뺄셈 / 1 – (진분수)

빈 곳에 알맞은 수를 써넣으세요.

1

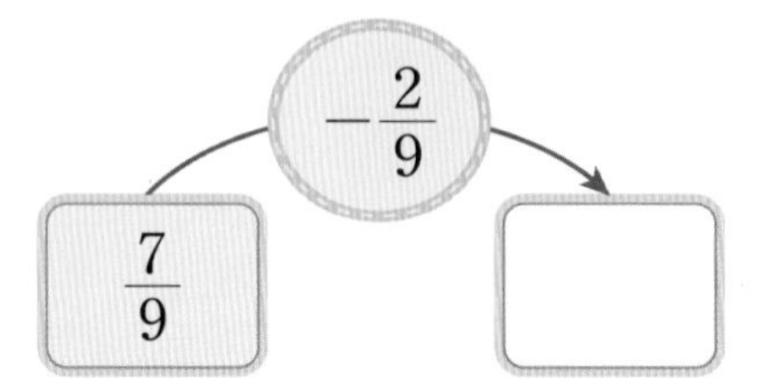

2

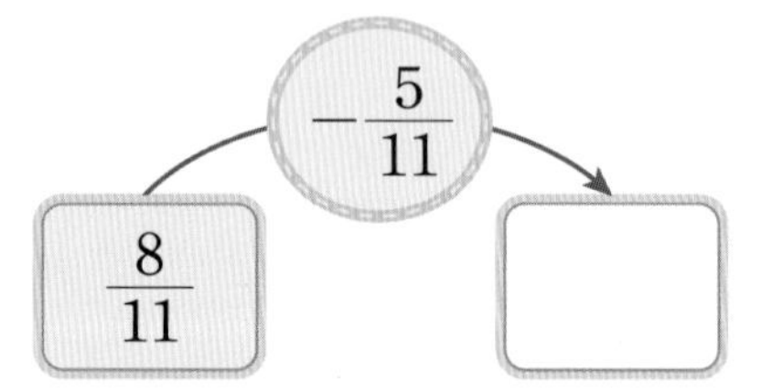

3

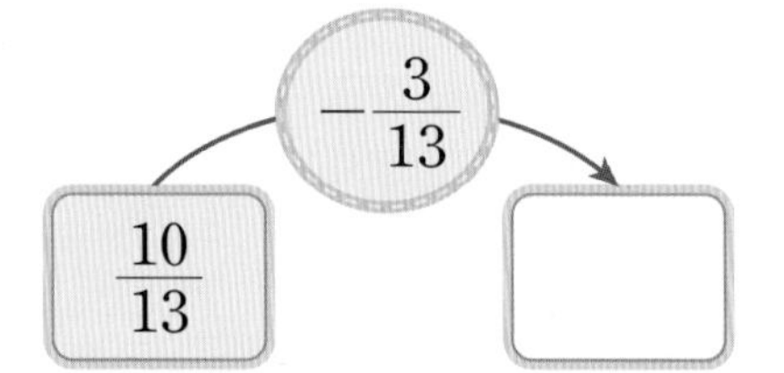

4

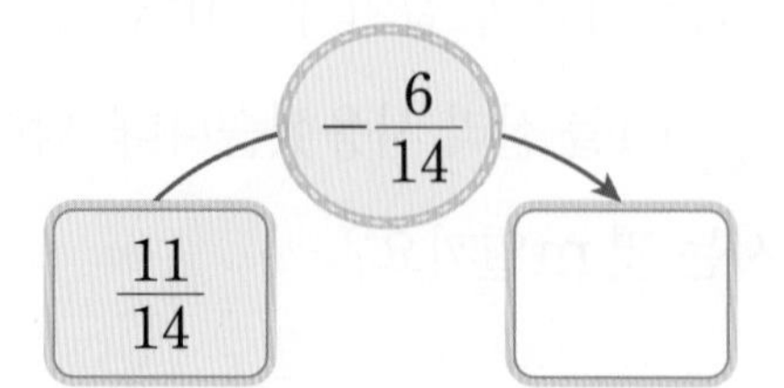

5

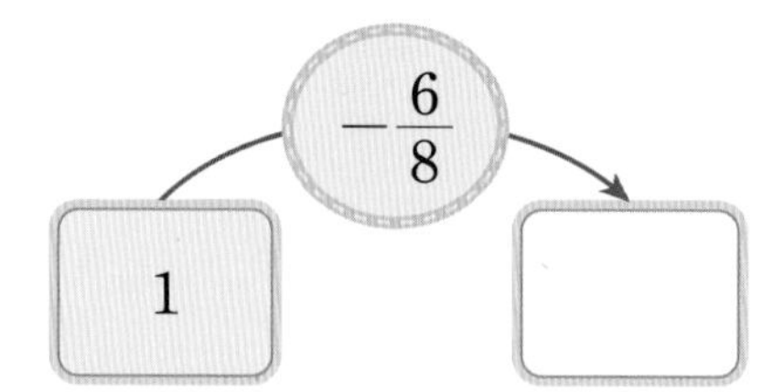

6

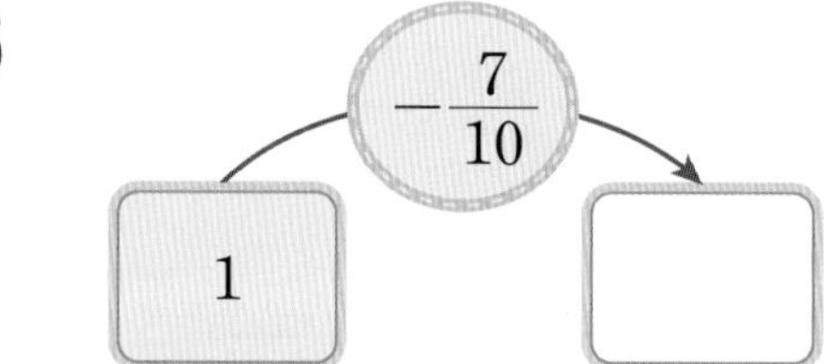

7

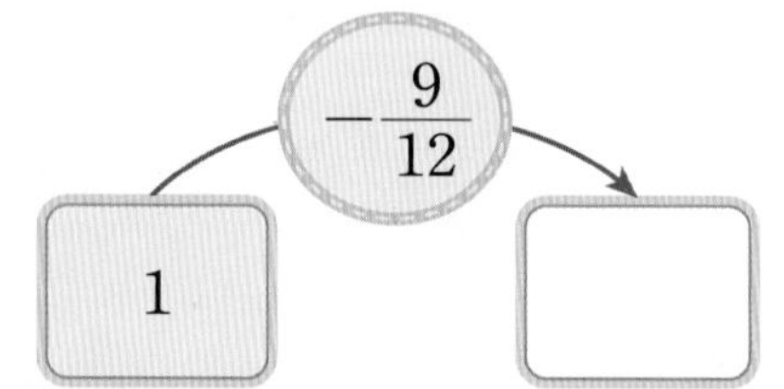

8

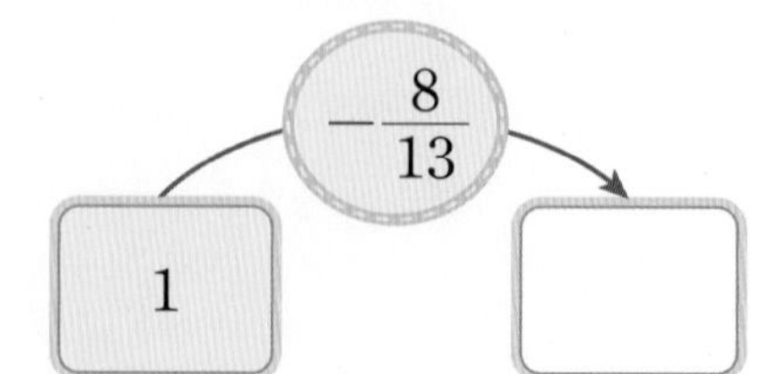

빈 곳에 알맞은 수를 써넣으세요.

9

$\frac{15}{17}$	$-\frac{10}{17}$	

10

$\frac{17}{19}$	$-\frac{4}{19}$	

11

$\frac{16}{20}$	$-\frac{11}{20}$	

12

$\frac{27}{30}$	$-\frac{19}{30}$	

13

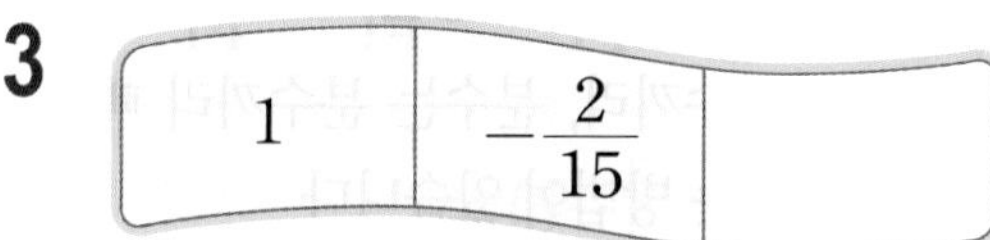

1	$-\frac{2}{15}$	

14

1	$-\frac{11}{16}$	

15

1	$-\frac{13}{21}$	

16

1	$-\frac{20}{24}$	

원리 ③ (자연수)−(대분수)

원리 동영상 강의

(자연수)−(대분수)의 계산 방법

자연수에서 1만큼을 분모가 대분수의 분모와 같은 분수로 바꾼 다음 자연수는 자연수끼리, 분수는 분수끼리 빼거나 자연수와 대분수를 가분수로 바꾸어 계산합니다.

예 $3-1\frac{2}{4}$의 계산

방법 1 $3-1\frac{2}{4}=2\frac{4}{4}-1\frac{2}{4}=(2-1)+\left(\frac{4}{4}-\frac{2}{4}\right)=1\frac{2}{4}$

방법 2 $3-1\frac{2}{4}=\frac{12}{4}-\frac{6}{4}=\frac{6}{4}=1\frac{2}{4}$

조심이

(자연수)−(대분수)의 계산에서 자연수끼리만 빼면 안 돼.

$3-1\frac{2}{4}$

$=(3-1)+\frac{2}{4}$

$=2\frac{2}{4}$

□ 안에 알맞은 수를 써넣으세요.

1 $4-1\frac{2}{5}=3\frac{\square}{5}-1\frac{2}{5}$

$=(\square-1)+\left(\frac{\square}{5}-\frac{\square}{5}\right)$

$=\square\frac{\square}{5}$

2 $6-2\frac{1}{2}=5\frac{\square}{2}-2\frac{1}{2}$

$=(\square-2)+\left(\frac{\square}{2}-\frac{\square}{2}\right)$

$=\square\frac{\square}{2}$

3 $5-3\frac{3}{4}=4\frac{\square}{4}-3\frac{3}{4}$

$=(\square-3)+\left(\frac{\square}{4}-\frac{\square}{4}\right)$

$=\square\frac{\square}{4}$

4 $5-1\frac{4}{7}=4\frac{\square}{7}-1\frac{4}{7}$

$=(\square-1)+\left(\frac{\square}{7}-\frac{\square}{7}\right)$

$=\square\frac{\square}{7}$

5 $8-4\frac{3}{9}=7\frac{\square}{9}-4\frac{3}{9}$

$=(\square-4)+\left(\frac{\square}{9}-\frac{\square}{9}\right)$

$=\square\frac{\square}{9}$

6 $9-2\frac{3}{8}=8\frac{\square}{8}-2\frac{3}{8}$

$=(\square-2)+\left(\frac{\square}{8}-\frac{\square}{8}\right)$

$=\square\frac{\square}{8}$

7 $12-5\frac{4}{12}=11\frac{\square}{12}-5\frac{4}{12}$
$=(\square-5)+\left(\frac{\square}{12}-\frac{\square}{12}\right)$
$=\square\frac{\square}{12}$

8 $11-3\frac{9}{14}=10\frac{\square}{14}-3\frac{9}{14}$
$=(\square-3)+\left(\frac{\square}{14}-\frac{\square}{14}\right)$
$=\square\frac{\square}{14}$

9 $15-2\frac{5}{17}=14\frac{\square}{17}-2\frac{5}{17}$
$=(\square-2)+\left(\frac{\square}{17}-\frac{\square}{17}\right)$
$=\square\frac{\square}{17}$

10 $9-7\frac{16}{19}=8\frac{\square}{19}-7\frac{16}{19}$
$=(\square-7)+\left(\frac{\square}{19}-\frac{\square}{19}\right)$
$=\square\frac{\square}{19}$

11 $7-3\frac{13}{16}=6\frac{\square}{16}-3\frac{13}{16}$
$=(\square-3)+\left(\frac{\square}{16}-\frac{\square}{16}\right)$
$=\square\frac{\square}{16}$

12 $3-1\frac{8}{10}=\frac{\square}{10}-\frac{\square}{10}=\frac{\square}{10}$
$=\square\frac{\square}{10}$

13 $10-5\frac{6}{12}=\frac{\square}{12}-\frac{\square}{12}=\frac{\square}{12}$
$=\square\frac{\square}{12}$

14 $6-3\frac{9}{15}=\frac{\square}{15}-\frac{\square}{15}=\frac{\square}{15}$
$=\square\frac{\square}{15}$

15 $8-3\frac{2}{13}=\frac{\square}{13}-\frac{\square}{13}=\frac{\square}{13}$
$=\square\frac{\square}{13}$

16 $11-2\frac{6}{20}=\frac{\square}{20}-\frac{\square}{20}=\frac{\square}{20}$
$=\square\frac{\square}{20}$

연습 ❸ (자연수)−(대분수)

계산을 하세요.

1 $7-3\frac{1}{4}$

2 $6-2\frac{4}{5}$

3 $9-6\frac{2}{7}$

4 $11-1\frac{6}{9}$

5 $8-4\frac{3}{8}$

6 $10-5\frac{5}{10}$

7 $13-2\frac{8}{11}$

8 $7-1\frac{1}{13}$

9 $9-2\frac{9}{12}$

10 $13-10\frac{6}{10}$

11 $12-3\frac{7}{9}$

12 $15-9\frac{4}{8}$

13 $11-4\frac{5}{11}$

14 $9-8\frac{2}{14}$

15 $10-7\frac{5}{13}$

16 $8-6\frac{8}{12}$

17 $7-4\frac{10}{11}$

18 $8-3\frac{7}{14}$

19 $10-5\frac{11}{15}$

20 $12-2\frac{9}{16}$

21 $11-1\frac{12}{18}$

22 $15-3\frac{8}{17}$

23 $9-4\frac{15}{20}$

24 $10-5\frac{17}{19}$

25 $14-3\frac{13}{21}$

26 $12-6\frac{16}{23}$

27 $16-4\frac{20}{25}$

28 $13-2\frac{19}{26}$

29 $16-7\frac{24}{30}$

실력 up

30 직사각형의 가로와 세로의 차는 몇 cm일까요?

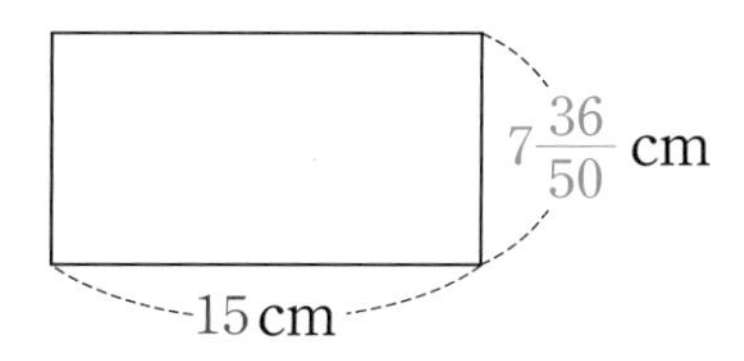

$15-7\frac{36}{50}=\square$

❸ (자연수) – (대분수)

∷ 두 수의 차를 빈 곳에 써넣으세요.

1

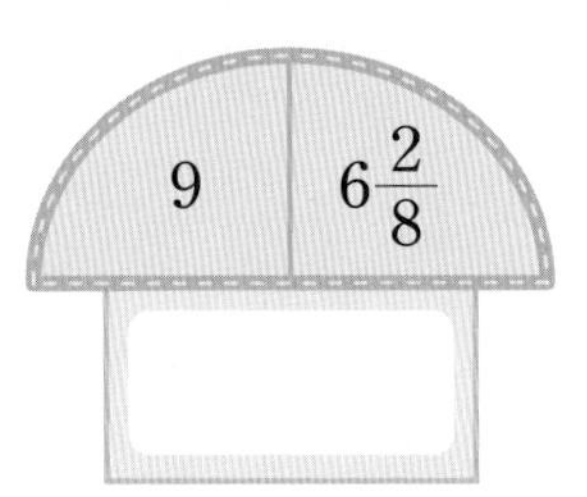

2

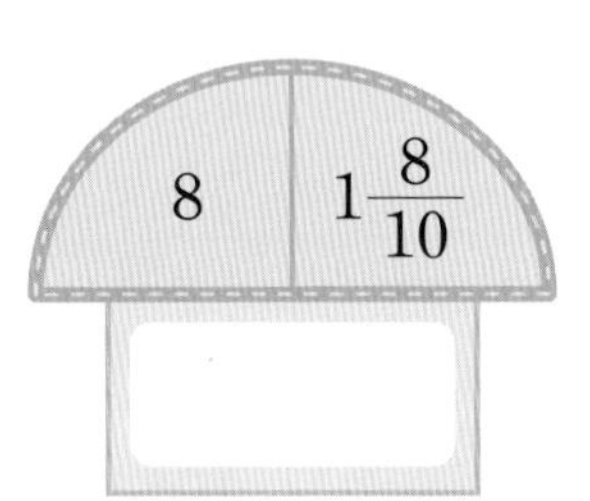

3

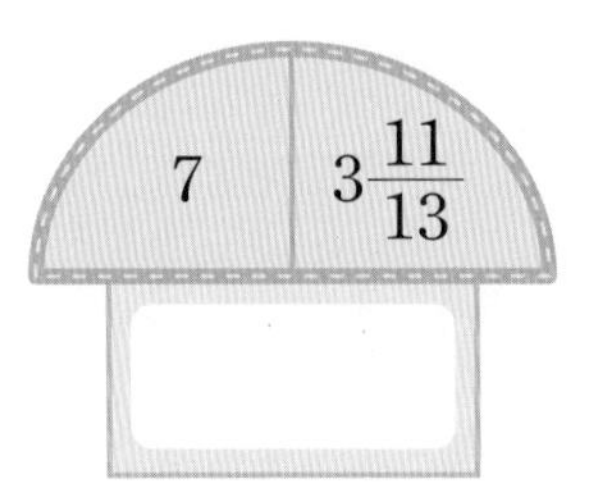

4

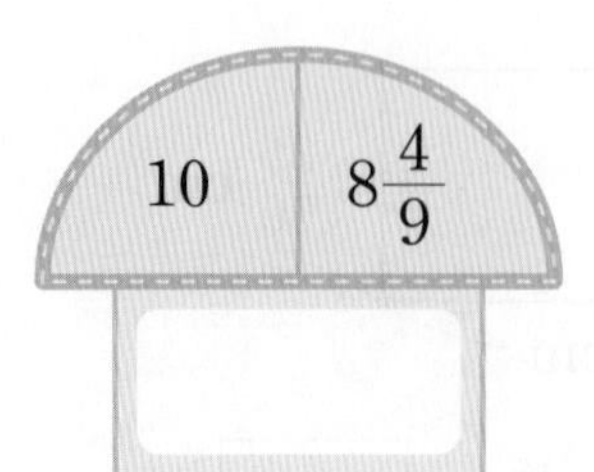

5

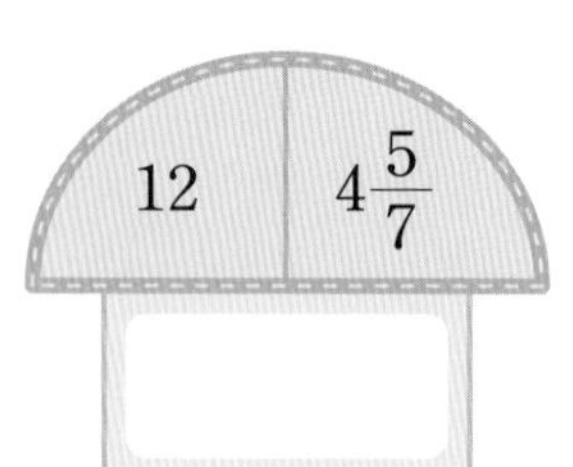

6

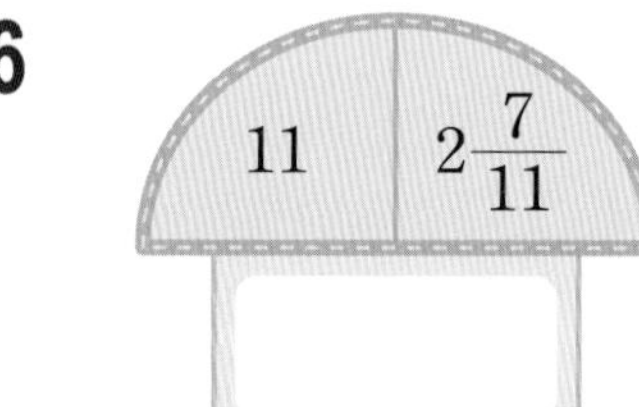

7

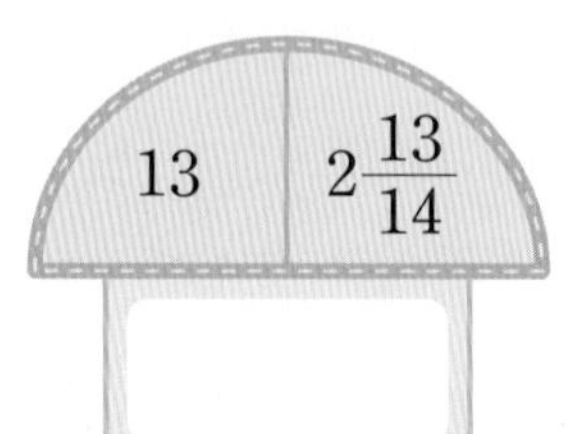

8

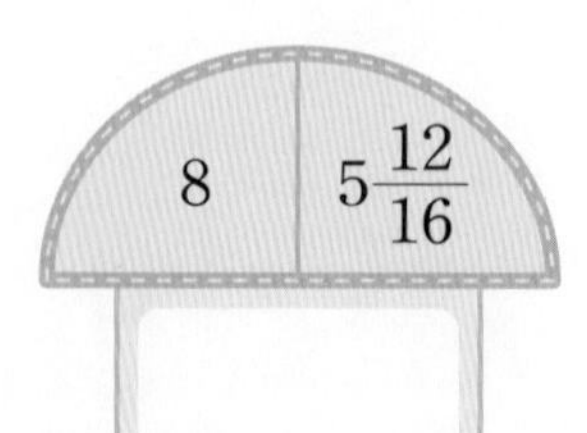

⁘ 빈 곳에 알맞은 수를 써넣으세요.

9

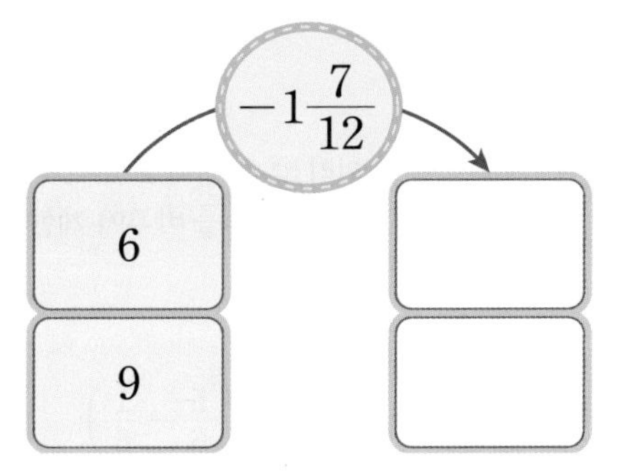

10

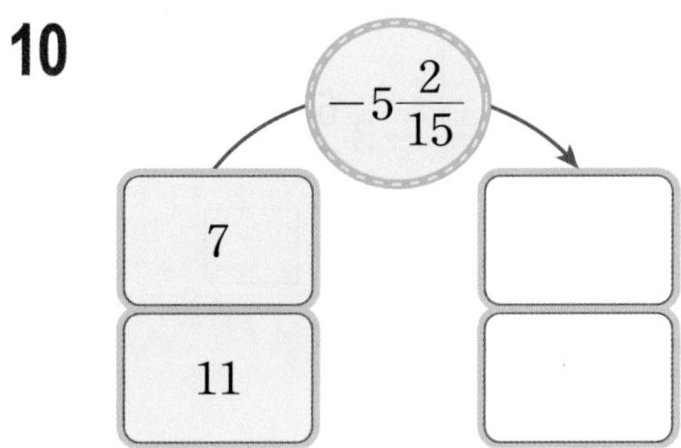

11

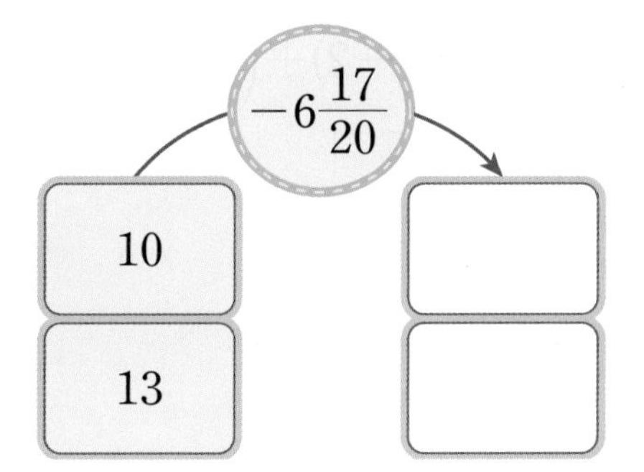

12

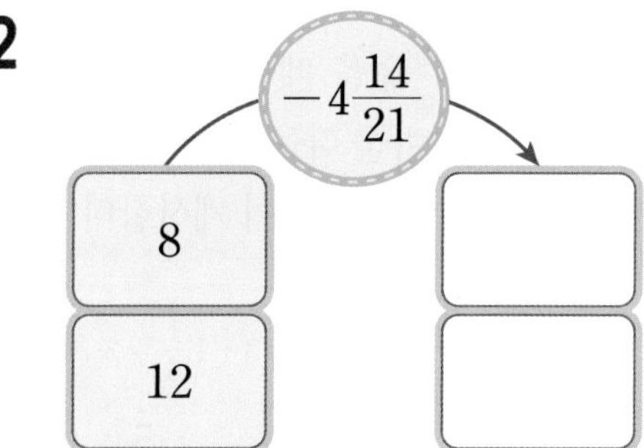

13

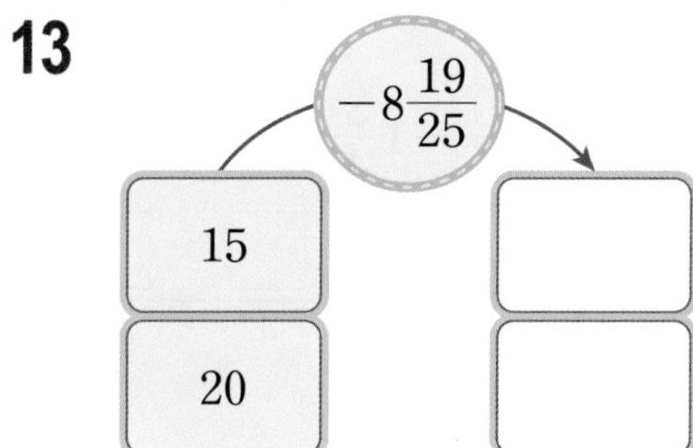

14

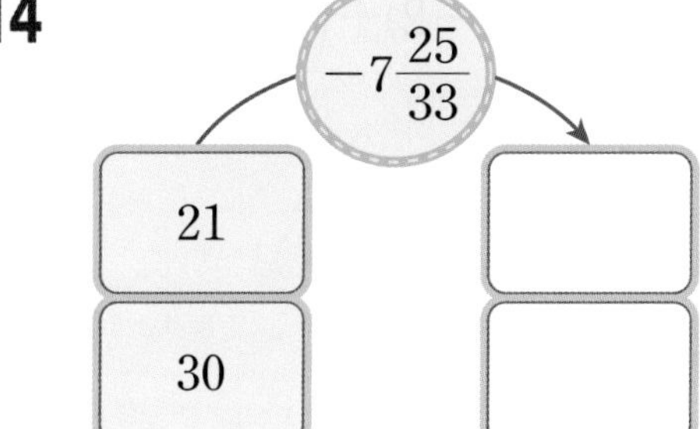

❹ 받아내림이 있는 대분수끼리의 뺄셈

받아내림이 있는 대분수끼리의 뺄셈 계산 방법

분수 부분끼리 뺄 수 없을 때에는 자연수에서 1만큼을 분모가 대분수의 분모와 같은 분수로 바꾼 다음 자연수는 자연수끼리, 분수는 분수끼리 빼거나 대분수를 가분수로 바꾸어 계산합니다.

예 $4\frac{1}{6}-1\frac{5}{6}$의 계산

$4\frac{1}{6}=3+1\frac{1}{6}=3+\frac{7}{6}=3\frac{7}{6}$

방법 1 $4\frac{1}{6}-1\frac{5}{6}=3\frac{7}{6}-1\frac{5}{6}=(3-1)+\left(\frac{7}{6}-\frac{5}{6}\right)=2\frac{2}{6}$

방법 2 $4\frac{1}{6}-1\frac{5}{6}=\frac{25}{6}-\frac{11}{6}=\frac{14}{6}=2\frac{2}{6}$

조심이

진분수끼리 뺄 수 없다고 해서 빼어지는 수와 빼는 수를 바꾸어 계산하면 안 돼.

$4\frac{1}{6}-1\frac{5}{6}$

$=(4-1)+\left(\frac{5}{6}-\frac{1}{6}\right)$ ✗

$=3\frac{4}{6}$

□ 안에 알맞은 수를 써넣으세요.

1 $5\frac{2}{4}-1\frac{3}{4}=4\frac{\square}{4}-1\frac{3}{4}$

$=(\square-1)+\left(\frac{\square}{4}-\frac{\square}{4}\right)$

$=\square\frac{\square}{4}$

2 $6\frac{1}{3}-2\frac{2}{3}=5\frac{\square}{3}-2\frac{2}{3}$

$=(\square-2)+\left(\frac{\square}{3}-\frac{\square}{3}\right)$

$=\square\frac{\square}{3}$

3 $3\frac{3}{5}-1\frac{4}{5}=2\frac{\square}{5}-1\frac{4}{5}$

$=(\square-1)+\left(\frac{\square}{5}-\frac{\square}{5}\right)$

$=\square\frac{\square}{5}$

4 $7\frac{4}{7}-3\frac{6}{7}=6\frac{\square}{7}-3\frac{6}{7}$

$=(\square-3)+\left(\frac{\square}{7}-\frac{\square}{7}\right)$

$=\square\frac{\square}{7}$

5 $9\frac{2}{8}-2\frac{7}{8}=8\frac{\square}{8}-2\frac{7}{8}$

$=(\square-2)+\left(\frac{\square}{8}-\frac{\square}{8}\right)$

$=\square\frac{\square}{8}$

6 $8\frac{6}{9}-5\frac{8}{9}=7\frac{\square}{9}-5\frac{8}{9}$

$=(\square-5)+\left(\frac{\square}{9}-\frac{\square}{9}\right)$

$=\square\frac{\square}{9}$

7 $8\frac{5}{10}-1\frac{6}{10}=7\frac{\square}{10}-1\frac{6}{10}$

$=(\square-1)+\left(\frac{\square}{10}-\frac{\square}{10}\right)$

$=\square\frac{\square}{10}$

8 $6\frac{4}{11}-3\frac{7}{11}=5\frac{\square}{11}-3\frac{7}{11}$

$=(\square-3)+\left(\frac{\square}{11}-\frac{\square}{11}\right)$

$=\square\frac{\square}{11}$

9 $8\frac{7}{13}-4\frac{9}{13}=7\frac{\square}{13}-4\frac{9}{13}$

$=(\square-4)+\left(\frac{\square}{13}-\frac{\square}{13}\right)$

$=\square\frac{\square}{13}$

10 $9\frac{2}{15}-1\frac{4}{15}=8\frac{\square}{15}-1\frac{4}{15}$

$=(\square-1)+\left(\frac{\square}{15}-\frac{\square}{15}\right)$

$=\square\frac{\square}{15}$

11 $5\frac{5}{17}-2\frac{8}{17}=4\frac{\square}{17}-2\frac{8}{17}$

$=(\square-2)+\left(\frac{\square}{17}-\frac{\square}{17}\right)$

$=\square\frac{\square}{17}$

12 $6\frac{2}{12}-2\frac{8}{12}=\frac{\square}{12}-\frac{\square}{12}$

$=\frac{\square}{12}=\square\frac{\square}{12}$

13 $10\frac{5}{14}-4\frac{11}{14}=\frac{\square}{14}-\frac{\square}{14}$

$=\frac{\square}{14}=\square\frac{\square}{14}$

14 $11\frac{6}{10}-5\frac{9}{10}=\frac{\square}{10}-\frac{\square}{10}$

$=\frac{\square}{10}=\square\frac{\square}{10}$

15 $13\frac{4}{20}-4\frac{15}{20}=\frac{\square}{20}-\frac{\square}{20}$

$=\frac{\square}{20}=\square\frac{\square}{20}$

16 $4\frac{3}{21}-1\frac{20}{21}=\frac{\square}{21}-\frac{\square}{21}$

$=\frac{\square}{21}=\square\frac{\square}{21}$

연습

❹ 받아내림이 있는 대분수끼리의 뺄셈

계산을 하세요.

1 $6\frac{2}{5}-2\frac{3}{5}$

2 $5\frac{4}{6}-1\frac{5}{6}$

3 $7\frac{3}{8}-6\frac{7}{8}$

4 $11\frac{5}{9}-4\frac{6}{9}$

5 $10\frac{1}{7}-3\frac{4}{7}$

6 $12\frac{2}{10}-2\frac{8}{10}$

7 $9\frac{7}{12}-5\frac{9}{12}$

8 $14\frac{6}{11}-7\frac{10}{11}$

9 $11\frac{4}{13}-3\frac{12}{13}$

10 $10\frac{8}{14}-5\frac{13}{14}$

11 $9\frac{6}{15}-1\frac{11}{15}$

12 $12\frac{9}{17}-8\frac{15}{17}$

13 $11\frac{7}{18}-6\frac{14}{18}$

14 $10\frac{12}{16}-2\frac{15}{16}$

15 $15\frac{10}{20}-10\frac{12}{20}$

16 $13\frac{14}{19}-4\frac{16}{19}$

17 $9\frac{3}{17}-2\frac{8}{17}$

18 $13\frac{5}{15}-4\frac{10}{15}$

19 $8\frac{9}{21}-3\frac{20}{21}$

20 $10\frac{14}{22}-7\frac{17}{22}$

21 $11\frac{8}{24}-1\frac{23}{24}$

22 $8\frac{16}{25}-2\frac{21}{25}$

23 $7\frac{12}{23}-6\frac{14}{23}$

24 $9\frac{20}{27}-6\frac{25}{27}$

25 $10\frac{18}{26}-4\frac{22}{26}$

26 $14\frac{6}{28}-3\frac{24}{28}$

27 $13\frac{11}{25}-10\frac{16}{25}$

28 $8\frac{15}{30}-2\frac{26}{30}$

29 $15\frac{23}{33}-10\frac{30}{33}$

30 $9\frac{7}{20}-5\frac{17}{20}$

실력 up

31 밀가루 $15\frac{25}{40}$ kg 중에서 빵을 만드는 데 $9\frac{36}{40}$ kg을 사용하였습니다. 남은 밀가루는 몇 kg일까요?

$15\frac{25}{40}-9\frac{36}{40}=$ ☐

❷ (소수 두 자리 수)+(소수 두 자리 수)

원리 동영상 강의

● (소수 두 자리 수)+(소수 두 자리 수)의 계산 방법

소수점의 자리를 맞추어 세로로 쓰고 소수 둘째 자리, 소수 첫째 자리, 일의 자리의 순서로 더한 다음 소수점을 그대로 내려 찍습니다.

㈜ 0.46+0.38의 계산

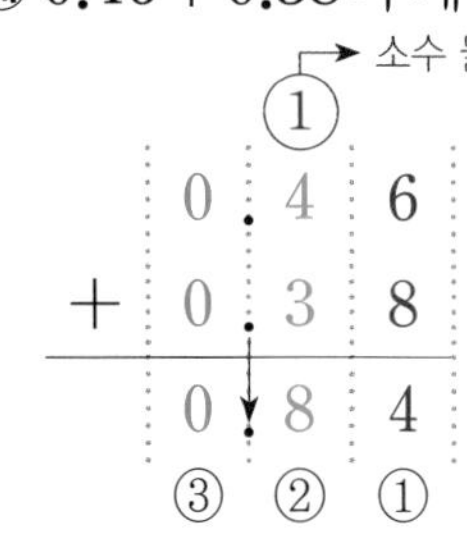

① 소수 둘째 자리 계산 ➡ 6+8=14

② 소수 첫째 자리 계산 ➡ 1+4+3=8

③ 일의 자리 계산 ➡ 0

조심이

소수 둘째 자리에서 소수 첫째 자리로 받아올림한 수를 잊어버리면 안 돼.

	0	.	4	6
+	0	.	3	8
	0	.	7	4

⁘ 계산을 하세요.

1

	0.1	5
+	0.2	2

2

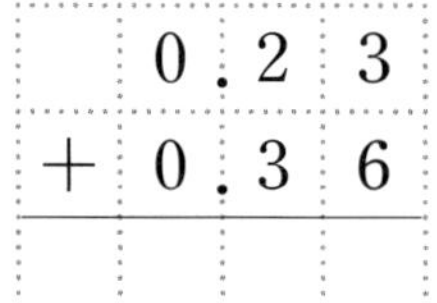

	0.2	3
+	0.3	6

3

	0.4	1
+	0.3	4

4

	0.7	8
+	0.1	1

5

	0.3	4
+	0.4	4

6

	0.2	5
+	0.1	2

7

	0.4	1
+	0.5	7

8

	0.2	3
+	0.1	2

9

$$\begin{array}{r} 0.28 \\ +\ 0.37 \\ \hline \end{array}$$

10

$$\begin{array}{r} 0.52 \\ +\ 0.19 \\ \hline \end{array}$$

11

$$\begin{array}{r} 0.64 \\ +\ 0.28 \\ \hline \end{array}$$

12

$$\begin{array}{r} 0.17 \\ +\ 0.76 \\ \hline \end{array}$$

13

$$\begin{array}{r} 0.67 \\ +\ 0.71 \\ \hline \end{array}$$

14

$$\begin{array}{r} 0.33 \\ +\ 0.82 \\ \hline \end{array}$$

15

$$\begin{array}{r} 0.62 \\ +\ 0.45 \\ \hline \end{array}$$

16

$$\begin{array}{r} 0.42 \\ +\ 0.91 \\ \hline \end{array}$$

17

$$\begin{array}{r} 0.25 \\ +\ 0.97 \\ \hline \end{array}$$

18

$$\begin{array}{r} 0.74 \\ +\ 0.47 \\ \hline \end{array}$$

19

$$\begin{array}{r} 0.58 \\ +\ 0.48 \\ \hline \end{array}$$

20

$$\begin{array}{r} 0.96 \\ +\ 0.65 \\ \hline \end{array}$$

21

$$\begin{array}{r} 0.83 \\ +\ 0.79 \\ \hline \end{array}$$

22

$$\begin{array}{r} 0.37 \\ +\ 0.88 \\ \hline \end{array}$$

연습 ❷ (소수 두 자리 수)+(소수 두 자리 수)

계산을 하세요.

1 $\begin{array}{r} 0.62 \\ +\ 0.17 \\ \hline \end{array}$

2 $\begin{array}{r} 0.26 \\ +\ 0.42 \\ \hline \end{array}$

3 $\begin{array}{r} 0.55 \\ +\ 0.31 \\ \hline \end{array}$

4 $\begin{array}{r} 0.26 \\ +\ 0.67 \\ \hline \end{array}$

5 $\begin{array}{r} 0.42 \\ +\ 0.49 \\ \hline \end{array}$

6 $\begin{array}{r} 0.35 \\ +\ 0.18 \\ \hline \end{array}$

7 $\begin{array}{r} 0.53 \\ +\ 0.56 \\ \hline \end{array}$

8 $\begin{array}{r} 0.81 \\ +\ 0.61 \\ \hline \end{array}$

9 $\begin{array}{r} 0.74 \\ +\ 0.43 \\ \hline \end{array}$

10 $\begin{array}{r} 0.83 \\ +\ 0.68 \\ \hline \end{array}$

11 $\begin{array}{r} 0.59 \\ +\ 0.85 \\ \hline \end{array}$

12 $\begin{array}{r} 0.66 \\ +\ 0.58 \\ \hline \end{array}$

13 0.13+0.32

14 0.72+0.14

15 0.23+0.52

16 0.29+0.69

17 0.36+0.27

18 0.18+0.56

19 0.65+0.54

20 0.51+0.88

21 0.42+0.72

22 0.17+0.95

23 0.98+0.48

24 0.35+0.86

정확성 up!

실력 up

25 지우는 오늘 오전에 물을 0.57 L 마셨고 오후에 0.75 L 마셨습니다. 지우가 오늘 마신 물은 모두 몇 L일까요?

0.57+0.75=□

 답 ______

적용 ❷ (소수 두 자리 수)+(소수 두 자리 수)

정확성 **up!**

∷ 두 수의 합을 빈 곳에 써넣으세요.

1

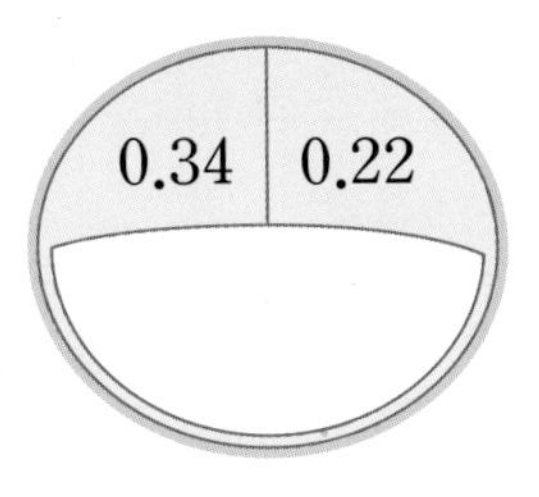

2

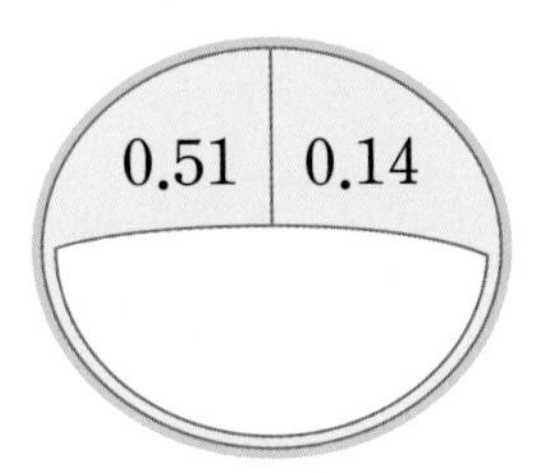

3

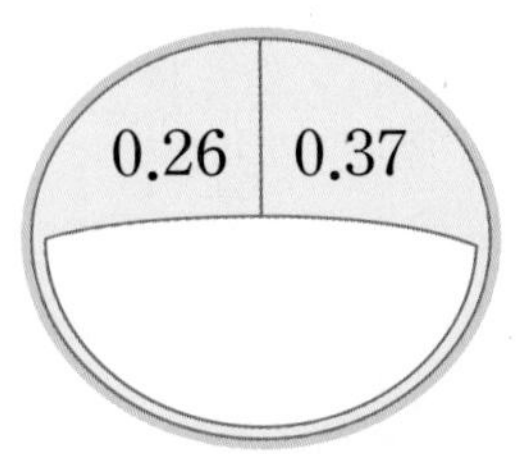

4

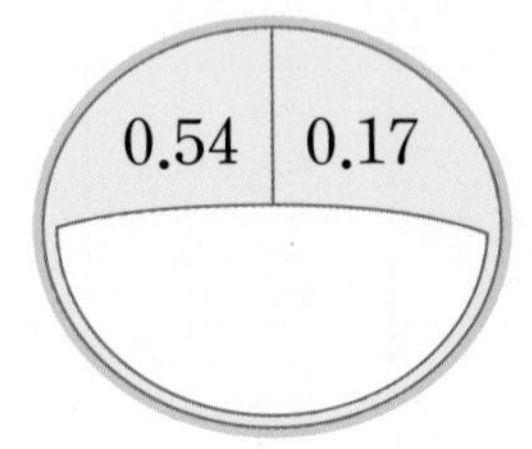

5

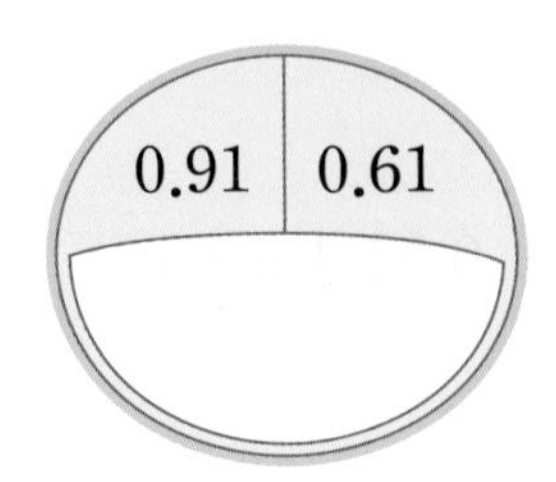

6

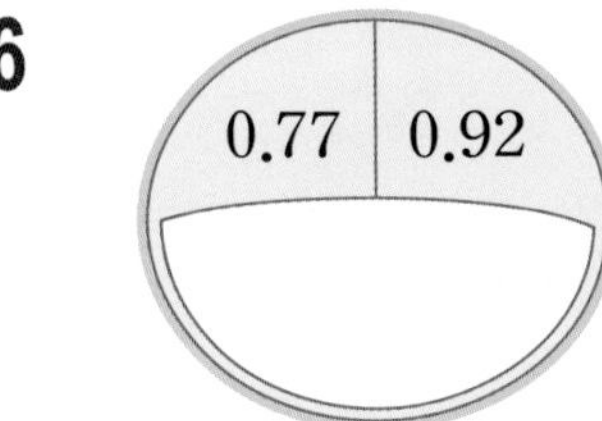

7

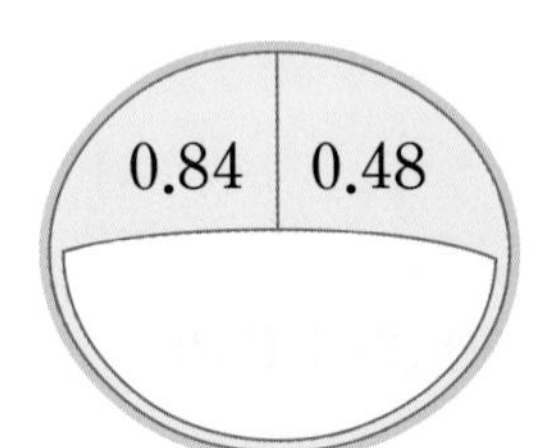

8

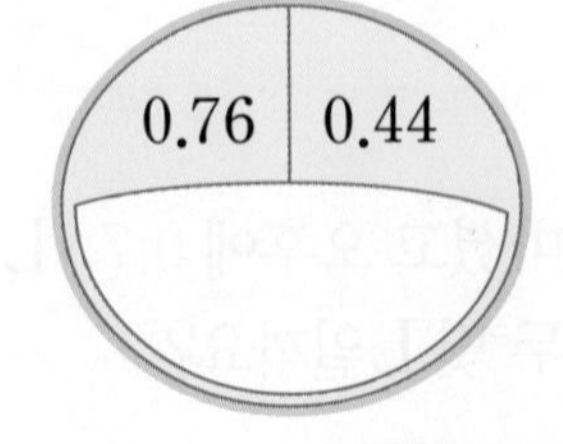

월 일	분	개
학습 날짜	학습 시간	맞힌 개수

●● □ 안에 알맞은 수를 써넣으세요.

9

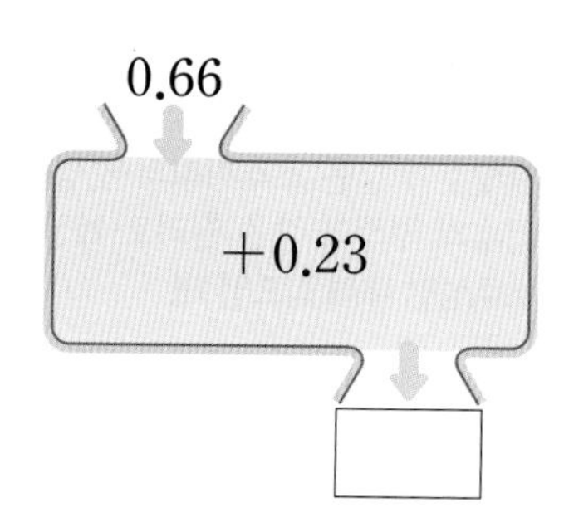

10

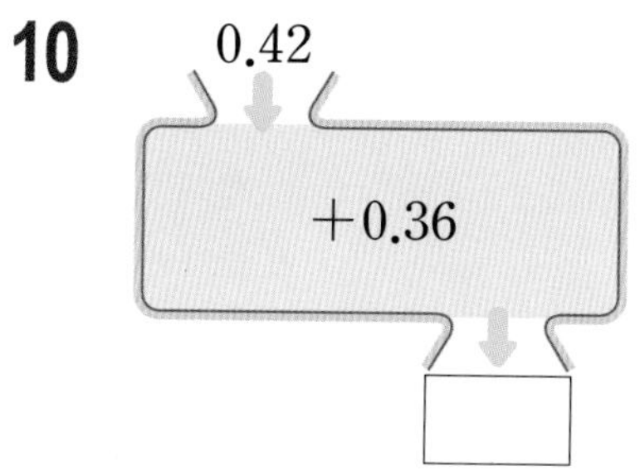

11

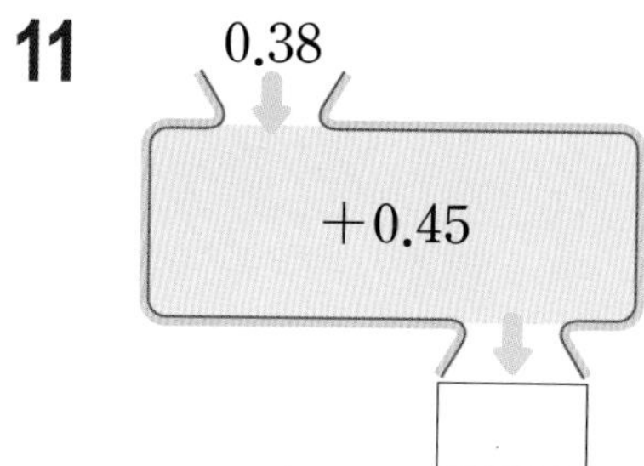

12

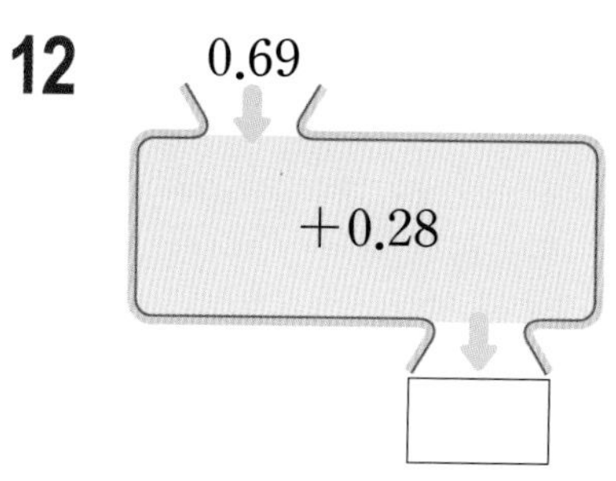

13

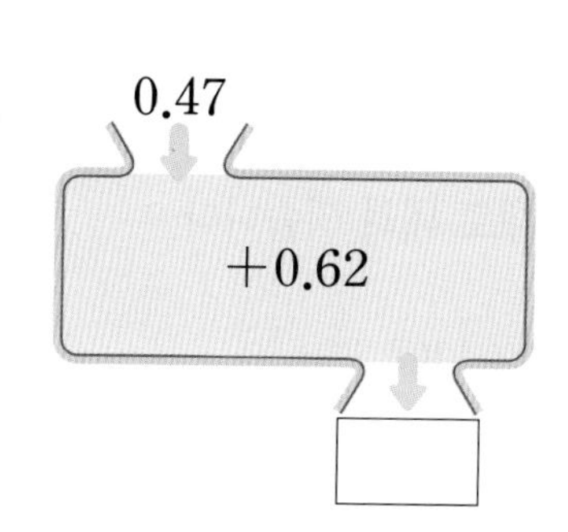

14

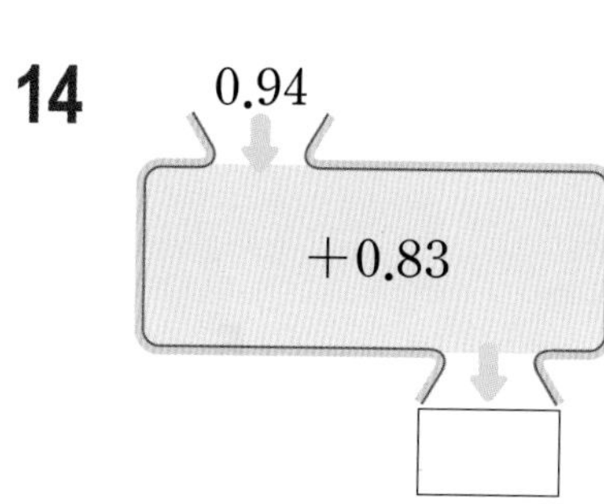

15

0.99

+0.23

16

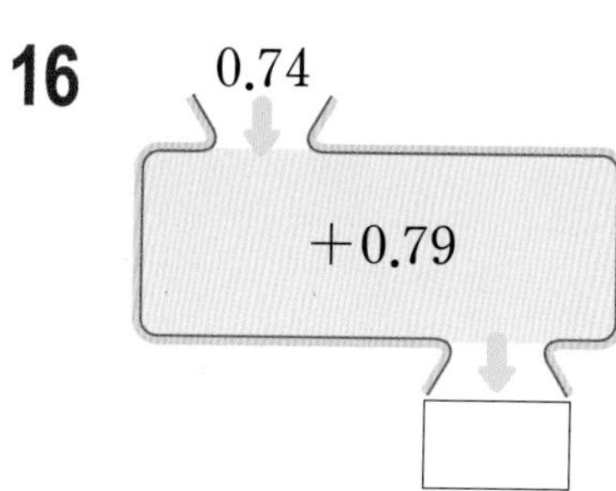

정확성 up!

원리

③ 1보다 큰 소수 한 자리 수의 덧셈

원리 동영상 강의

1보다 큰 소수 한 자리 수의 덧셈 계산 방법

소수점의 자리를 맞추어 세로로 쓰고 소수 첫째 자리부터 순서대로 같은 자리 수끼리 더한 다음 소수점을 그대로 내려 찍습니다.

예 1.7+2.6의 계산

→ 소수 첫째 자리 계산 7+6=13에서 10을 받아올림

	①	
	1	.7
+	2	.6
	4	.3
	②	①

① 소수 첫째 자리 계산 ➡ 7+6=13

② 일의 자리 계산 ➡ 1+1+2=4

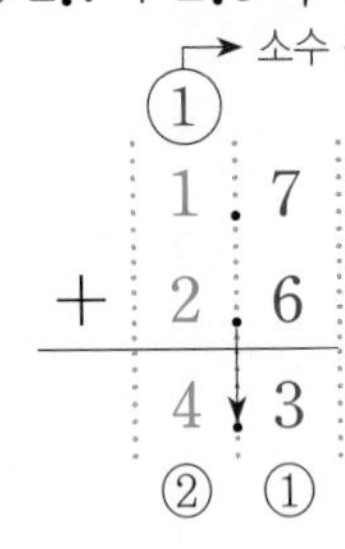

뿡뿡이

자릿수가 같은 소수끼리의 덧셈은 자연수의 덧셈과 같은 원리로 계산하고 소수점만 내려 찍으면 돼.

계산을 하세요.

1

	1	.2
+	3	.1

2

	2	.3
+	4	.2

3

	2	.2
+	3	.6

4

	4	.1
+	2	.7

5

	5	.3
+	3	.3

6

	6	.4
+	1	.5

7

	2	.4
+	3	.1

8

	7	.5
+	1	.2

9 $5.7 + 1.4$

10 $3.6 + 2.7$

11

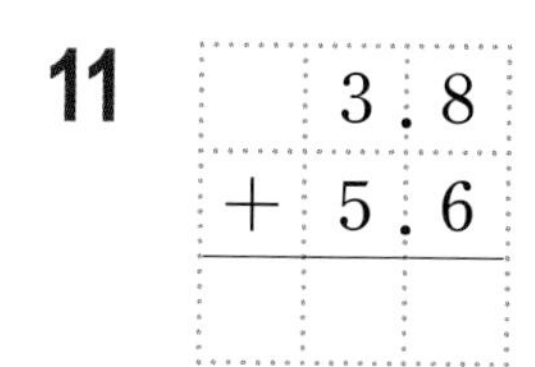

12 $4.5 + 2.7$

13 $1.8 + 6.3$

14 $2.7 + 3.8$

15 $6.1 + 4.4$

16 $8.4 + 4.5$

17 $6.3 + 5.3$

18 $7.2 + 3.1$

19 $4.7 + 7.5$

20 $8.3 + 4.9$

21 $9.6 + 2.5$

22 $3.4 + 8.8$

연습

❸ 1보다 큰 소수 한 자리 수의 덧셈

계산을 하세요.

1
$$\begin{array}{r} 3.7 \\ +\ 4.2 \\ \hline \end{array}$$

2
$$\begin{array}{r} 3.5 \\ +\ 5.1 \\ \hline \end{array}$$

3
$$\begin{array}{r} 2.4 \\ +\ 7.3 \\ \hline \end{array}$$

4
$$\begin{array}{r} 4.8 \\ +\ 3.9 \\ \hline \end{array}$$

5
$$\begin{array}{r} 2.6 \\ +\ 5.8 \\ \hline \end{array}$$

6
$$\begin{array}{r} 3.9 \\ +\ 1.2 \\ \hline \end{array}$$

7
$$\begin{array}{r} 8.1 \\ +\ 6.6 \\ \hline \end{array}$$

8
$$\begin{array}{r} 5.2 \\ +\ 8.5 \\ \hline \end{array}$$

9
$$\begin{array}{r} 9.3 \\ +\ 9.2 \\ \hline \end{array}$$

10
$$\begin{array}{r} 7.5 \\ +\ 7.8 \\ \hline \end{array}$$

11
$$\begin{array}{r} 6.9 \\ +\ 3.4 \\ \hline \end{array}$$

12
$$\begin{array}{r} 8.7 \\ +\ 5.7 \\ \hline \end{array}$$

월 일	분	개
학습 날짜	학습 시간	맞힌 개수

13 $4.3+2.6$

14 $1.2+5.1$

15 $6.7+3.2$

16 $3.6+3.8$

17 $7.5+1.7$

18 $5.3+2.9$

19 $11.4+9.3$

20 $7.2+8.6$

21 $5.3+5.5$

22 $9.8+8.7$

23 $8.5+6.9$

24 $12.6+7.6$

25 무게가 1.8 kg인 빈 바구니에 감자 19.5 kg을 담아서 무게를 재었습니다. 감자가 들어 있는 바구니의 무게는 모두 몇 kg일까요?

$1.8+19.5=\square$

적용 ❸ 1보다 큰 소수 한 자리 수의 덧셈

정확성 up!

빈 곳에 알맞은 수를 써넣으세요.

1 3.2 → +5.2 → □

5 8.2 → +8.6 → □

2 1.6 → +8.1 → □

6 17.3 → +3.2 → □

3 5.7 → +3.9 → □

7 9.5 → +4.8 → □

4 11.6 → +2.8 → □

8 5.7 → +16.4 → □

빈 곳에 알맞은 수를 써넣으세요.

9

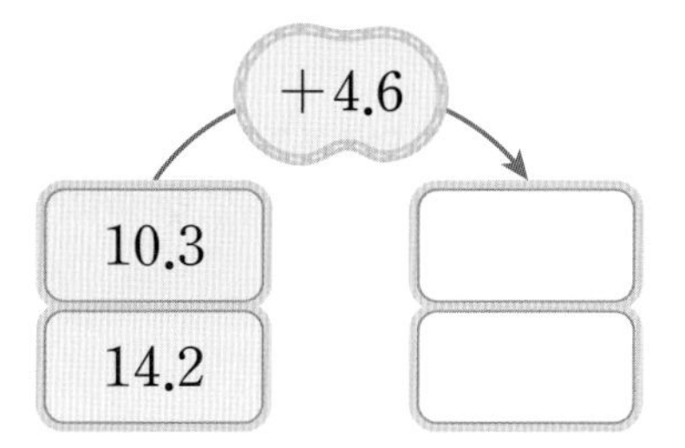

10

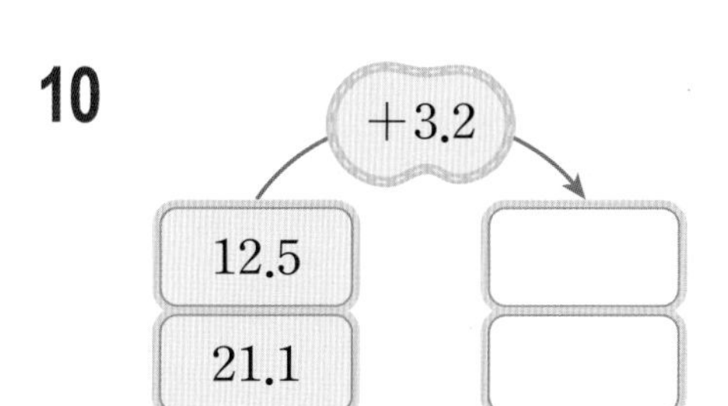

11

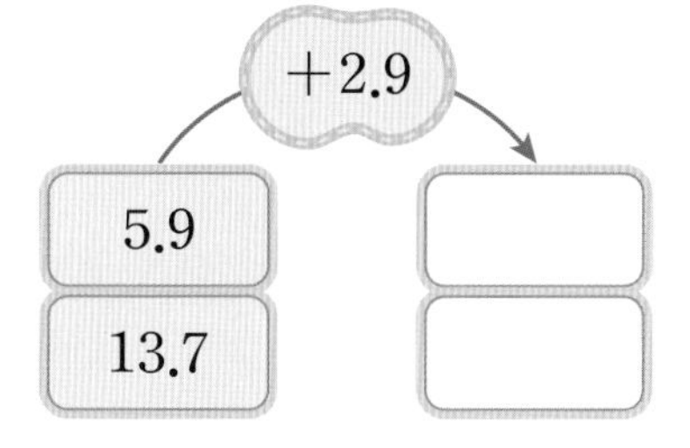

12

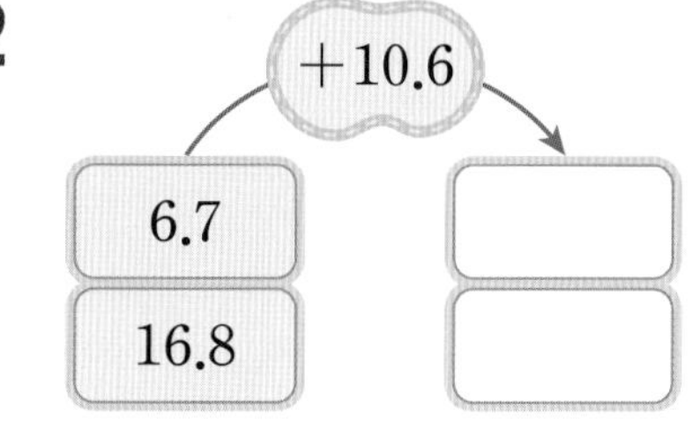

13

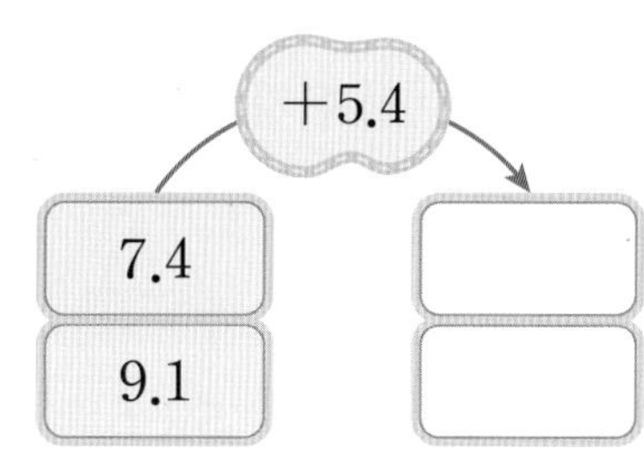

14

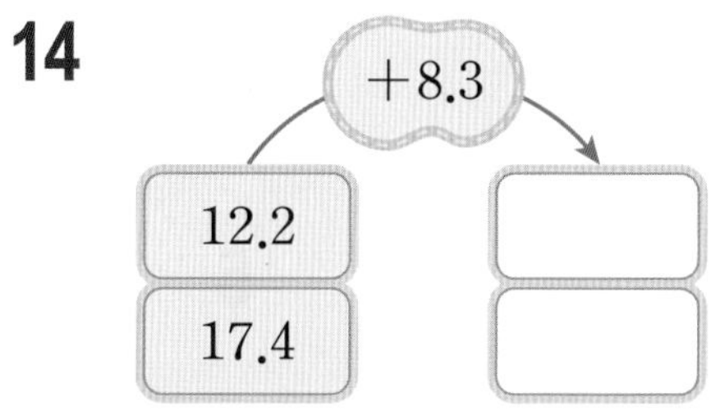

15

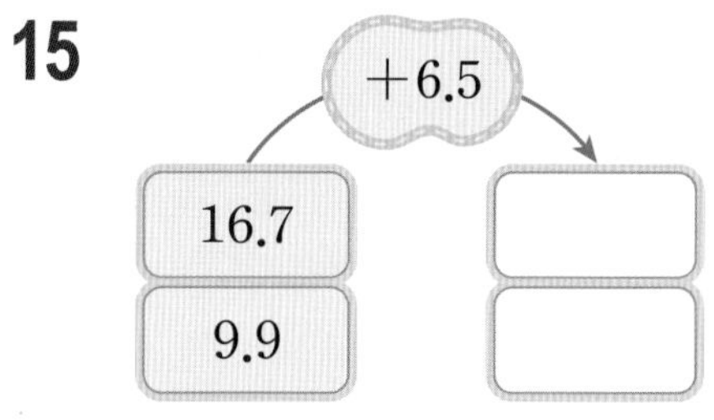

16

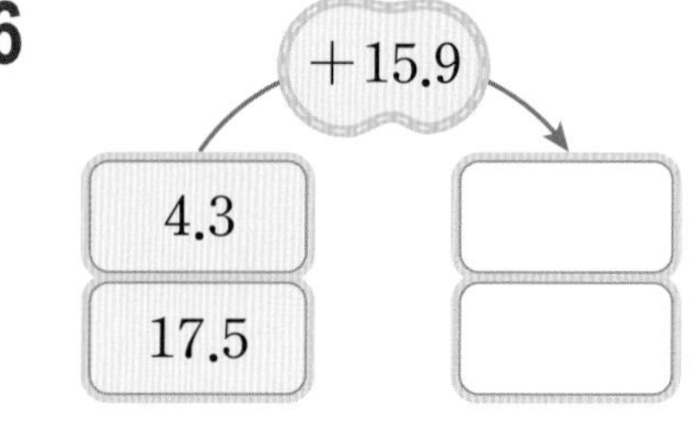

정확성 up!

④ 1보다 큰 소수 두 자리 수의 덧셈

1보다 큰 소수 두 자리 수의 덧셈 계산 방법

소수점의 자리를 맞추어 세로로 쓰고 소수 둘째 자리부터 순서대로 같은 자리의 수끼리 더한 다음 소수점을 그대로 내려 찍습니다.

예 1.75+2.46의 계산

	1	1	
	1.	7	5
+	2.	4	6
	4.	2	1
	③	②	①

① 소수 둘째 자리 계산 ➡ $5+6=11$

② 소수 첫째 자리 계산 ➡ $1+7+4=12$

③ 일의 자리 계산 ➡ $1+1+2=4$

조심이

자연수의 덧셈과 같이 계산한 다음 소수점을 내려 찍는 걸 잊어버리면 안 돼.

계산을 하세요.

1

	1.	2	1
+	1.	3	5

2

	2.	7	3
+	3.	1	6

3

	1.	5	2
+	1.	2	7

4

	4.	1	5
+	2.	2	1

5

	2.	3	5
+	3.	1	4

6

	6.	2	2
+	1.	6	6

7

	4.	5	3
+	2.	4	1

8

	1.	8	4
+	7.	1	4

9

$$\begin{array}{r} 3.48 \\ +\ 1.39 \\ \hline \end{array}$$

10

$$\begin{array}{r} 4.38 \\ +\ 2.37 \\ \hline \end{array}$$

11

$$\begin{array}{r} 3.26 \\ +\ 5.25 \\ \hline \end{array}$$

12

$$\begin{array}{r} 7.59 \\ +\ 1.14 \\ \hline \end{array}$$

13

$$\begin{array}{r} 2.92 \\ +\ 6.71 \\ \hline \end{array}$$

14

$$\begin{array}{r} 5.74 \\ +\ 1.83 \\ \hline \end{array}$$

15

$$\begin{array}{r} 3.62 \\ +\ 5.55 \\ \hline \end{array}$$

16

$$\begin{array}{r} 2.96 \\ +\ 6.12 \\ \hline \end{array}$$

17

$$\begin{array}{r} 1.88 \\ +\ 5.65 \\ \hline \end{array}$$

18

$$\begin{array}{r} 4.59 \\ +\ 3.74 \\ \hline \end{array}$$

19

$$\begin{array}{r} 4.85 \\ +\ 2.77 \\ \hline \end{array}$$

20

$$\begin{array}{r} 1.69 \\ +\ 1.93 \\ \hline \end{array}$$

21

$$\begin{array}{r} 3.78 \\ +\ 3.58 \\ \hline \end{array}$$

22

$$\begin{array}{r} 1.37 \\ +\ 7.65 \\ \hline \end{array}$$

연습

❹ 1보다 큰 소수 두 자리 수의 덧셈

계산을 하세요.

1 $\begin{array}{r} 1.56 \\ +\ 6.13 \\ \hline \end{array}$

2 $\begin{array}{r} 3.04 \\ +\ 2.95 \\ \hline \end{array}$

3 $\begin{array}{r} 4.12 \\ +\ 5.16 \\ \hline \end{array}$

4 $\begin{array}{r} 3.57 \\ +\ 4.19 \\ \hline \end{array}$

5 $\begin{array}{r} 7.26 \\ +\ 1.46 \\ \hline \end{array}$

6 $\begin{array}{r} 5.68 \\ +\ 3.25 \\ \hline \end{array}$

7 $\begin{array}{r} 2.95 \\ +\ 2.43 \\ \hline \end{array}$

8 $\begin{array}{r} 5.72 \\ +\ 1.81 \\ \hline \end{array}$

9 $\begin{array}{r} 4.56 \\ +\ 3.92 \\ \hline \end{array}$

10 $\begin{array}{r} 6.47 \\ +\ 1.85 \\ \hline \end{array}$

11 $\begin{array}{r} 7.63 \\ +\ 3.99 \\ \hline \end{array}$

12 $\begin{array}{r} 9.78 \\ +\ 5.57 \\ \hline \end{array}$

월 일	분	개
학습 날짜	학습 시간	맞힌 개수

13 4.53+3.16

14 9.82+10.05

15 7.46+2.13

16 6.58+2.27

17 3.26+11.49

18 12.15+5.45

19 5.76+3.82

20 1.95+6.23

21 12.64+4.61

22 3.78+11.37

23 11.92+4.49

24 15.67+7.85

정확성 up!

실력 up

25 직사각형의 가로와 세로의 합은 몇 cm일까요?

17.88+5.59=☐

답

④ 1보다 큰 소수 두 자리 수의 덧셈

정확성 up!

:: 두 수의 합을 빈 곳에 써넣으세요.

1

14.32	
4.51	

2

6.04	
2.92	

3

5.17	
3.47	

4

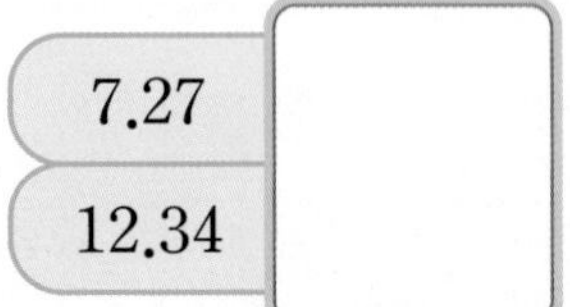

7.27	
12.34	

5

4.84	
10.25	

6

3.76	
15.41	

7

9.75	
8.46	

8

13.92	
7.29	

빈 곳에 알맞은 수를 써넣으세요.

9 (+)

1.63	17.15	
11.65	2.13	

13 (+)

6.86	1.92	
12.83	2.43	

10 (+)

9.45	10.42	
2.86	20.13	

14 (+)

5.74	13.53	
7.99	11.32	

11 (+)

7.44	2.38	
2.09	5.86	

15 (+)

8.76	8.69	
19.48	3.74	

12 (+)

11.29	6.64	
3.18	15.43	

16 (+)

4.63	16.69	
7.89	9.87	

정확성 up!

원리 동영상 강의

원리 ⑤ 자릿수가 다른 소수의 덧셈

● 자릿수가 다른 소수의 덧셈 계산 방법

소수점의 자리를 맞추어 세로로 쓰고 소수 둘째 자리, 소수 첫째 자리, 일의 자리의 순서로 더한 다음 소수점을 그대로 내려 찍습니다.

예 0.86+2.3의 계산

	1		
	0 .	8	6
+	2 .	3	
	3 .	1	6
	③	②	①

① 소수 둘째 자리 계산 ➡ 6

② 소수 첫째 자리 계산 ➡ 8+3=11

③ 일의 자리 계산 ➡ 1+0+2=3

조심이

자릿수가 다른 소수의 덧셈을 세로로 계산할 때 소수점을 맞추지 않고 숫자의 위치를 맞추면 안 돼.

	0 .	8	6
+		2 .	3
	1 .	0	9

(✕)

∷ 계산을 하세요.

1

	1 .	2	
+	1 .	1	5

2

	3 .	7	
+	2 .	2	6

3

	5 .	3	
+	1 .	4	7

4

	6 .	1	
+	2 .	7	2

5

	0 .	5	2
+	0 .	3	

6

	1 .	4	9
+	0 .	2	

7

	4 .	6	1
+	3 .	2	

8

	2 .	3	5
+	0 .	4	

9

	0.	9	3
+	4.	5	

10

	1.	4	7
+	6.	6	

11

	3.	9	3
+	2.	7	

12

	1.	8	1
+	5.	4	

13

	1.	8	5
+	7.	7	

14

	1.	5	
+	4.	9	9

15

	2.	4	
+	0.	8	2

16

	4.	9	
+	1.	4	6

17

	5.	8	
+	7.	3	4

18

	6.	7	
+	3.	7	8

19

	5.	1	3
+	5.	9	

20

	3.	4	5
+	8.	8	

21

	6.	9	
+	7.	8	4

22

	8.	6	
+	9.	9	1

연습 ❺ 자릿수가 다른 소수의 덧셈

계산을 하세요.

1 $$\begin{array}{r} 0.6 \\ +\ 0.31 \\ \hline \end{array}$$

2 $$\begin{array}{r} 2.5 \\ +\ 1.32 \\ \hline \end{array}$$

3 $$\begin{array}{r} 3.27 \\ +\ 0.5 \\ \hline \end{array}$$

4 $$\begin{array}{r} 0.46 \\ +\ 8.1 \\ \hline \end{array}$$

5 $$\begin{array}{r} 2.92 \\ +\ 1.2 \\ \hline \end{array}$$

6 $$\begin{array}{r} 1.54 \\ +\ 5.7 \\ \hline \end{array}$$

7 $$\begin{array}{r} 0.9 \\ +\ 7.28 \\ \hline \end{array}$$

8 $$\begin{array}{r} 2.8 \\ +\ 3.66 \\ \hline \end{array}$$

9 $$\begin{array}{r} 7.5 \\ +\ 3.83 \\ \hline \end{array}$$

10 $$\begin{array}{r} 5.7 \\ +\ 4.67 \\ \hline \end{array}$$

11 $$\begin{array}{r} 8.24 \\ +\ 3.9 \\ \hline \end{array}$$

12 $$\begin{array}{r} 6.97 \\ +\ 7.9 \\ \hline \end{array}$$

13 $3.4+0.51$

14 $7.2+0.41$

15 $1.32+6.5$

16 $0.29+7.2$

17 $3.6+3.64$

18 $1.5+2.94$

19 $3.65+5.4$

20 $5.27+1.8$

21 $4.8+7.23$

22 $6.5+9.72$

23 $8.41+5.8$

24 $3.55+6.9$

정확성 up!

25 선혜네 집에서 도서관까지의 거리는 6.8 km이고, 도서관에서 박물관까지의 거리는 5.55 km입니다. 선혜네 집에서 도서관을 지나 박물관까지의 거리는 몇 km일까요?

$6.8+5.55=\square$

❺ 자릿수가 다른 소수의 덧셈

⁘ 두 수의 합을 빈 곳에 써넣으세요.

1

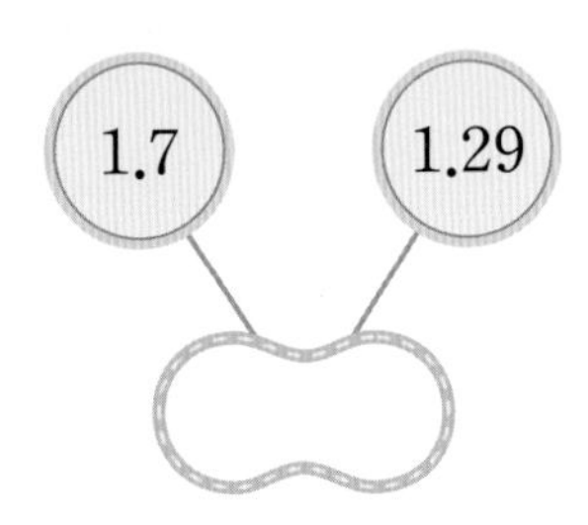

2

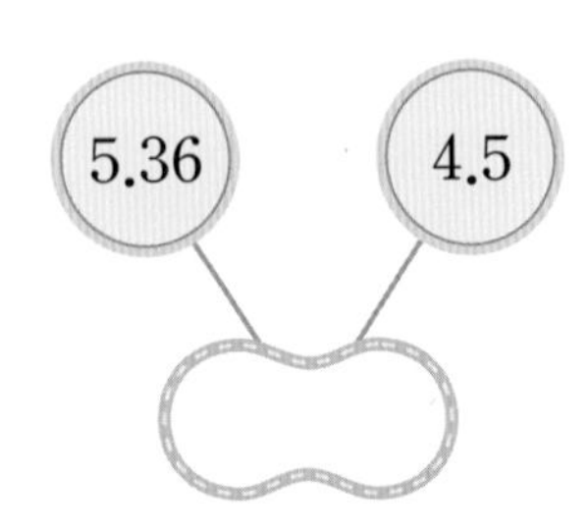

3

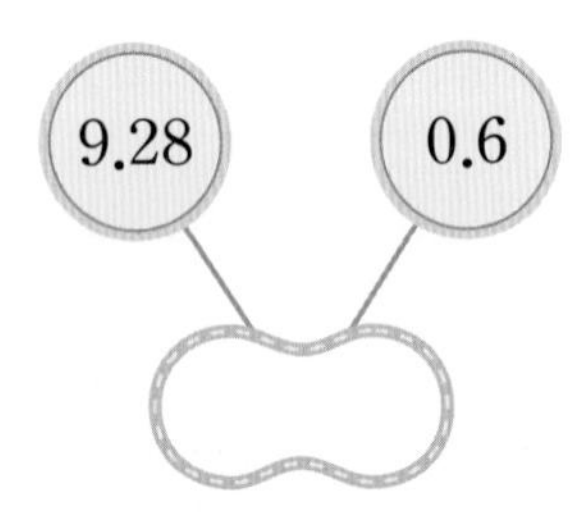

4

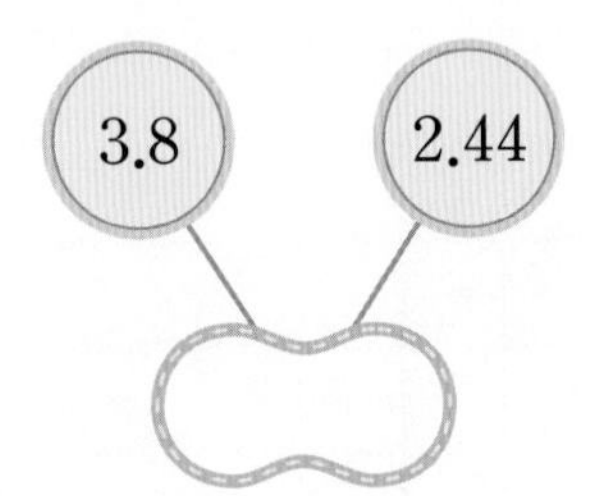

5

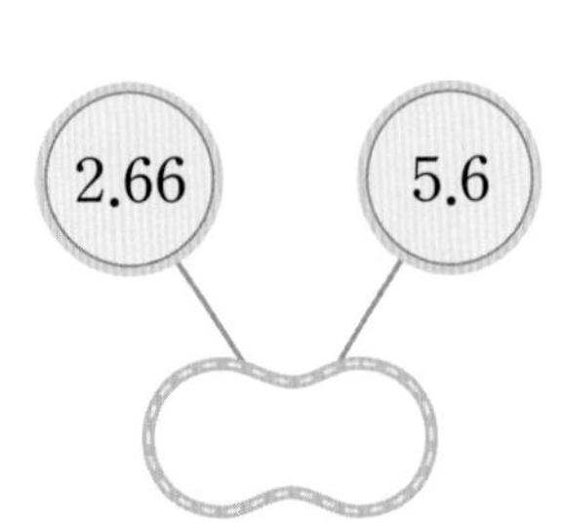

6

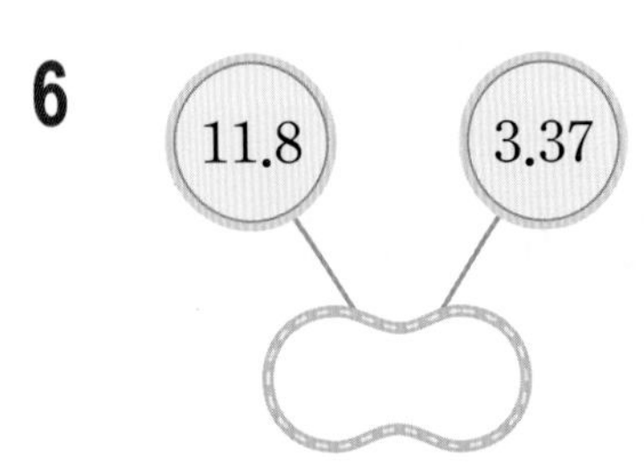

7

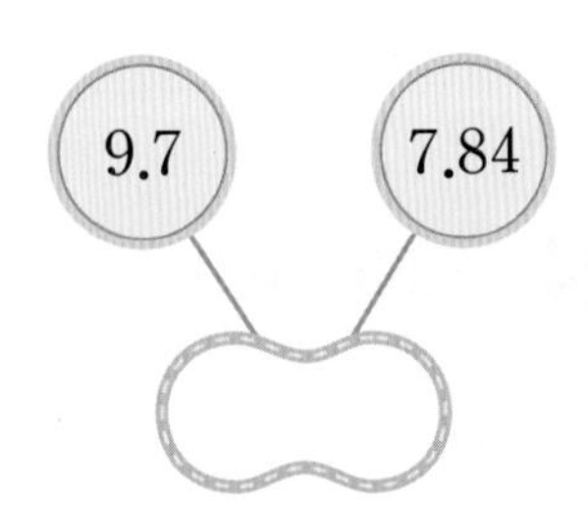

8

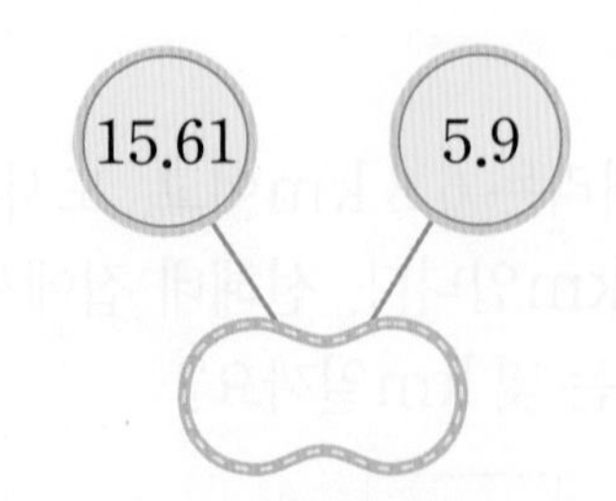

정확성 **up!**

빈 곳에 알맞은 수를 써넣으세요.

9

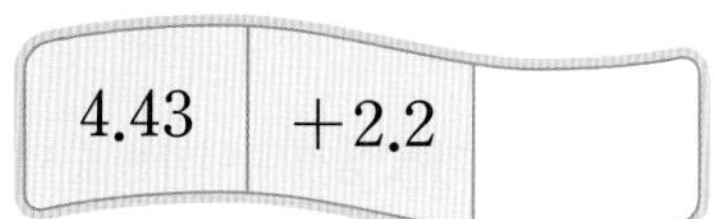

10

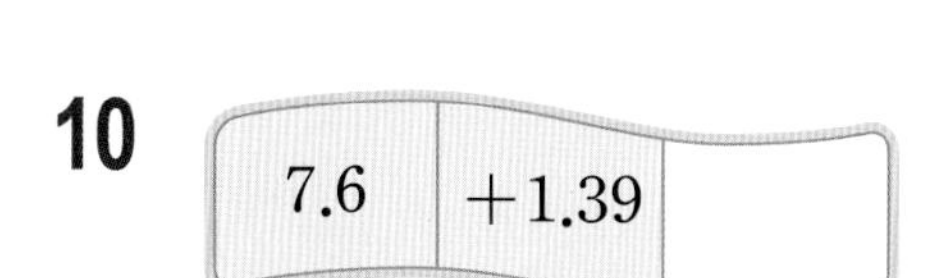

11

11.56	+6.8	

12

3.2	+14.81	

13

8.8	+0.41	

14

10.5	+1.79	

15

16.63	+4.9	

16

6.84	+25.2	

정확성 up!

원리 ❻ 세 소수의 덧셈

● 세 소수의 덧셈 계산 방법

두 수씩 차례로 계산합니다. 세 소수의 덧셈은 순서를 바꾸어 계산해도 계산 결과는 같습니다.

예 $0.4+0.9+0.12$의 계산

방법 1 $0.4+0.9+0.12=1.42$ (① $0.4+0.9$, ② 결과 $+0.12$)

① $0.4+0.9=1.3$

② $1.3+0.12=1.42$

방법 2 $0.4+0.9+0.12=1.42$ (① $0.9+0.12$, ② $0.4+$ 결과)

① $0.9+0.12=1.02$

② $0.4+1.02=1.42$

뿡뿡이: 세 소수의 덧셈에서 더하는 순서는 상관없어. 어떤 두 수를 먼저 더해도 계산 결과는 같아.

$0.4+0.9+0.12=1.42$

0.52

1.42

□ 안에 알맞은 수를 써넣으세요.

1 $0.3+0.5+1.6=\square$

① $0.3+0.5=\square$

② $\square+1.6=\square$

2 $1.2+2.7+0.8=\square$

① $1.2+2.7=\square$

② $\square+0.8=\square$

3 $6.8+5.4+2.2=\square$

① $6.8+5.4=\square$

② $\square+2.2=\square$

4 $0.56+1.22+3.61=\square$

① $0.56+1.22=\square$

② $\square+3.61=\square$

5 $7.3+1.8+1.44=\square$

① $7.3+1.8=\square$

② $\square+1.44=\square$

6 $2.16+1.78+1.5=\square$

① $2.16+1.78=\square$

② $\square+1.5=\square$

7 $3.9+0.7+4.6=\square$

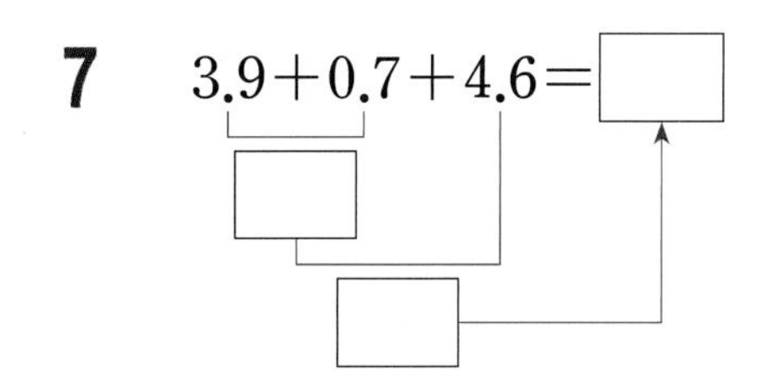

8 $2.7+1.8+5.3=\square$

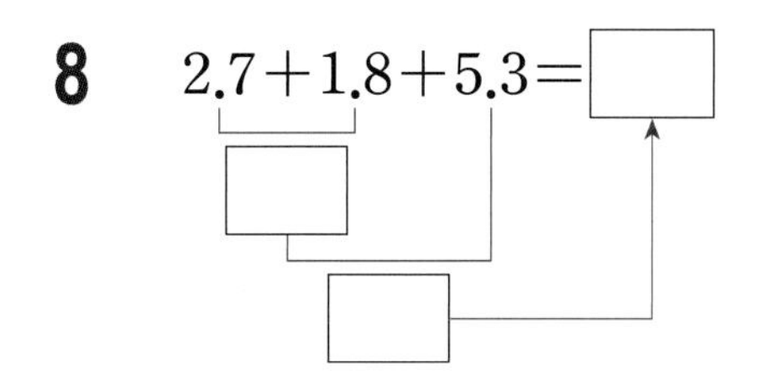

9 $7.5+5.2+1.5=\square$

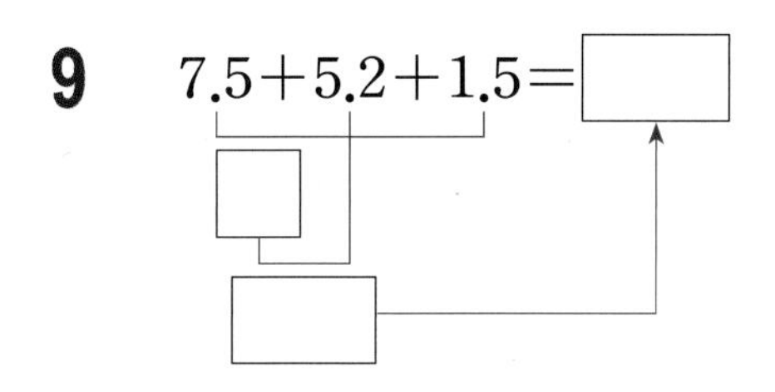

10 $9.2+3.6+0.71=\square$

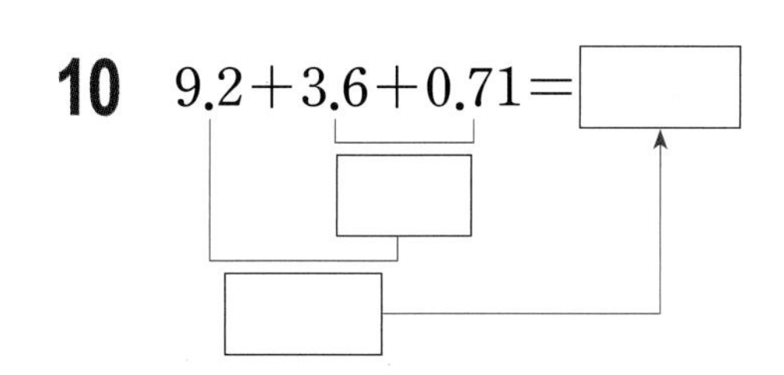

11 $1.4+0.83+6.6=\square$

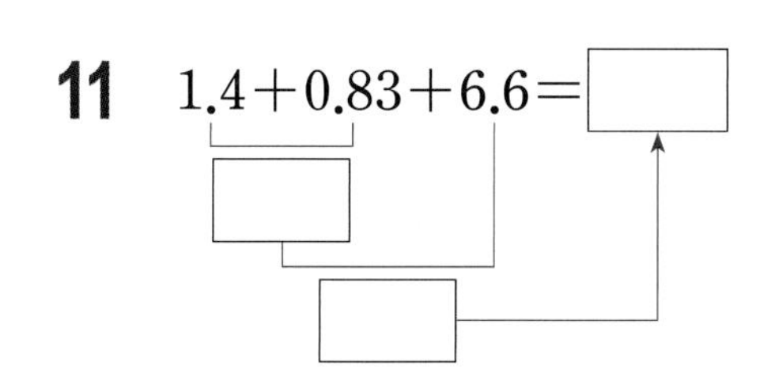

12 $2.47+3.3+4.9=\square$

13 $0.34+0.74+1.18=\square$

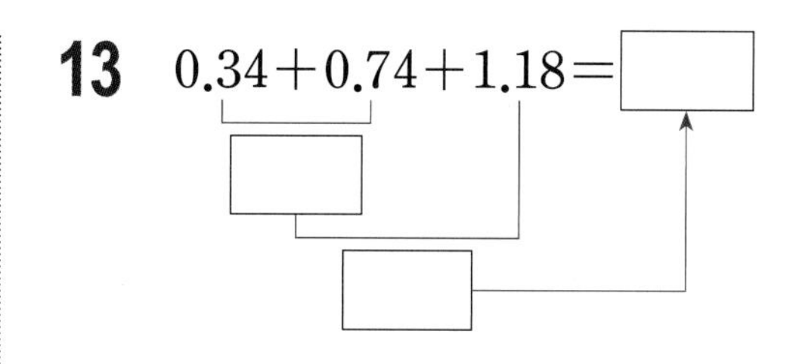

14 $2.05+5.41+2.62=\square$

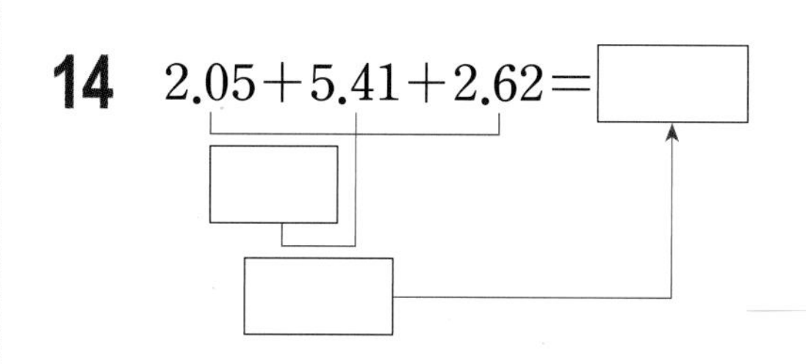

15 $3.87+0.92+4.14=\square$

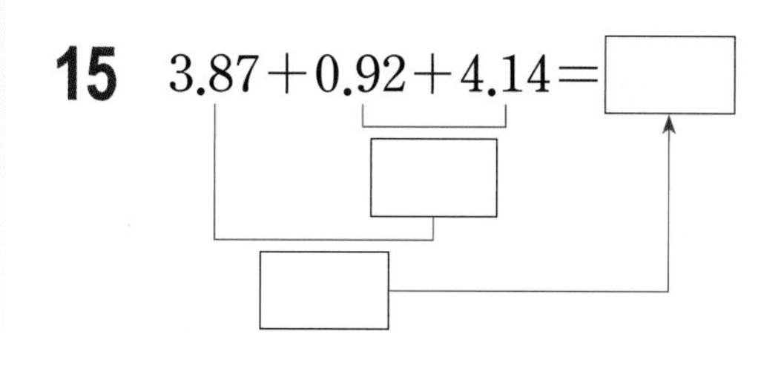

16 $9.28+1.7+20.38=\square$

17 $1.71+5.89+3.6=\square$

18 $2.5+0.34+4.59=\square$

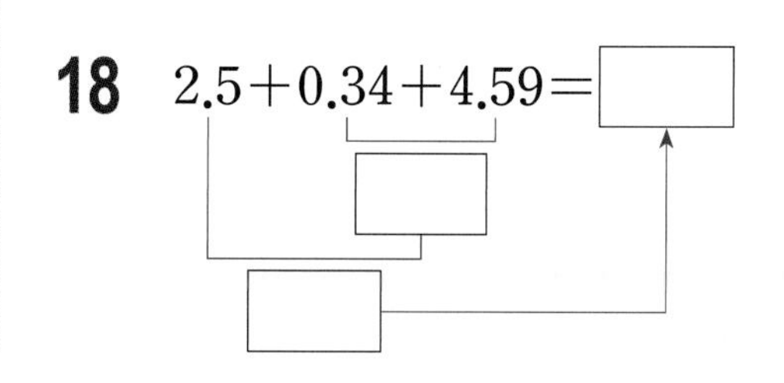

연습

⑥ 세 소수의 덧셈

계산을 하세요.

1 $0.5+1.6+7.3$

2 $9.1+2.4+3.7$

3 $1.2+4.1+5.8$

4 $0.2+11.5+1.9$

5 $10.8+2.3+3.6$

6 $1.1+15.7+2.8$

7 $3.2+1.63+7.6$

8 $9.9+0.44+4.2$

9 $1.73+5.6+1.4$

10 $8.5+8.5+10.19$

11 $3.6+2.62+13.3$

12 $2.9+8.3+1.98$

13 $0.77+1.04+2.71$

14 $4.15+2.56+3.68$

15 $1.42+5.76+1.57$

16 $8.05+3.84+2.93$

17 $12.42+3.15+4.45$

18 $3.17+7.38+14.22$

19 $9.15+1.5+0.74$

20 $4.21+8.35+6.7$

21 $13.84+5.68+9.55$

22 $3.56+1.43+8.6$

23 $15.2+0.18+4.72$

24 $3.1+3.42+3.63$

25 $20.27+1.47+5.1$

26 $6.2+8.34+4.55$

실력 up

27 삼각형의 세 변의 길이의 합은 몇 cm일까요?

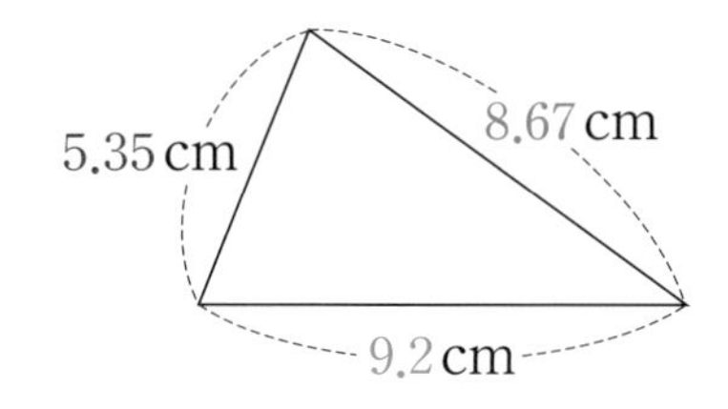

$5.35+9.2+8.67=$ ☐

답 ________

적용 ❻ 세 소수의 덧셈

빈 곳에 알맞은 수를 써넣으세요.

1

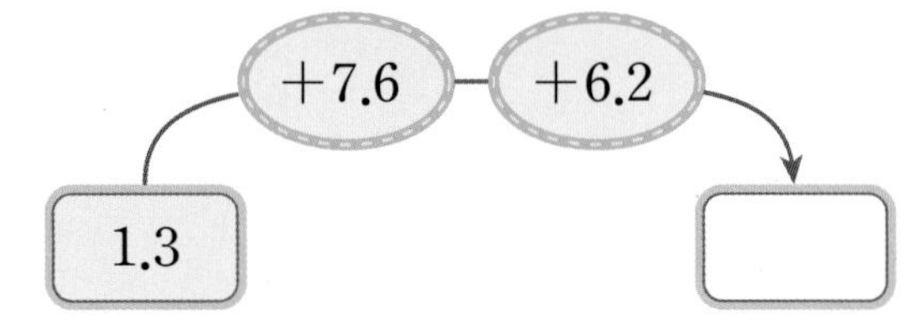

2

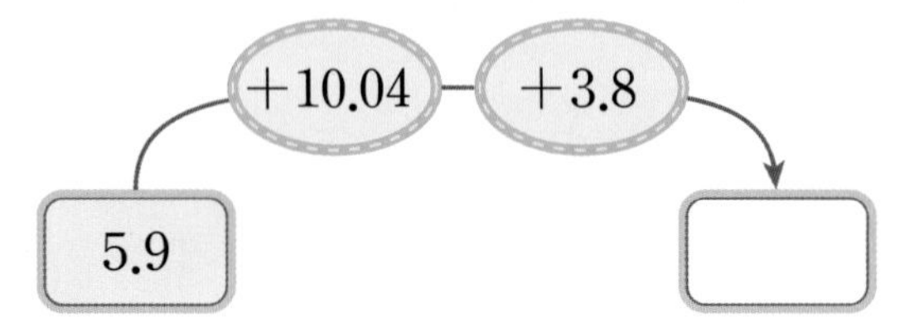

3

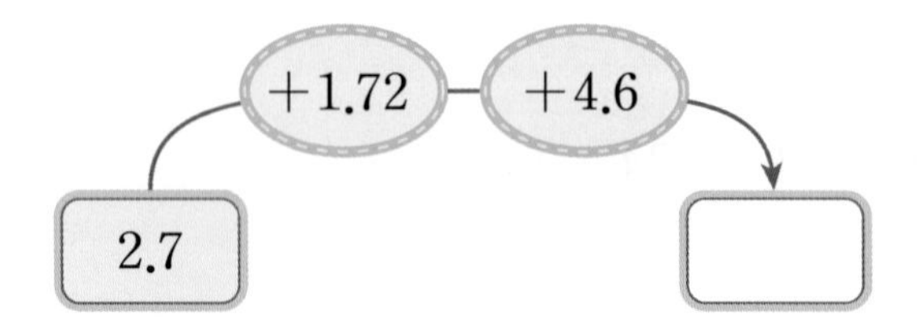

4

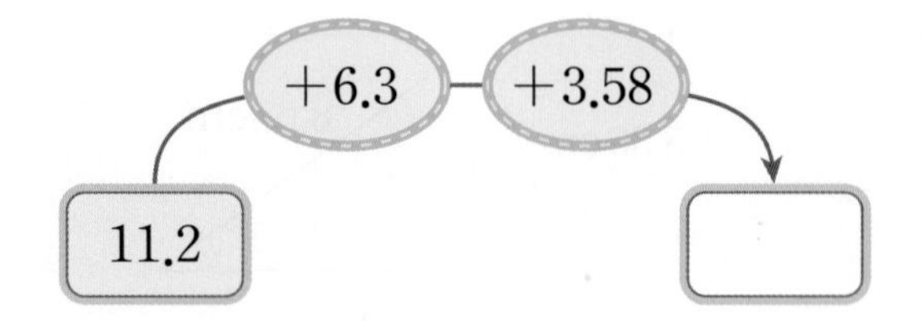

5

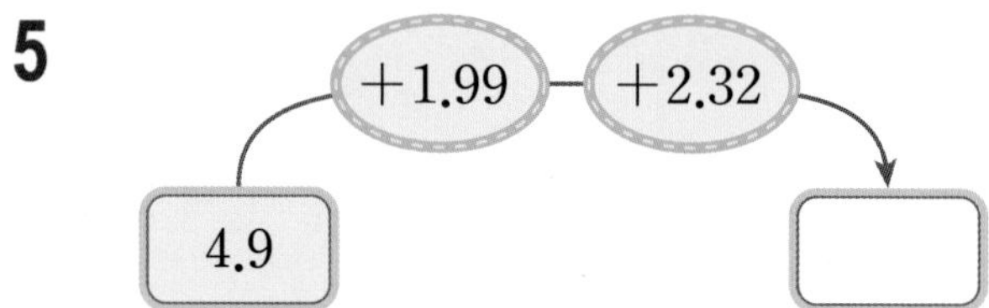

6

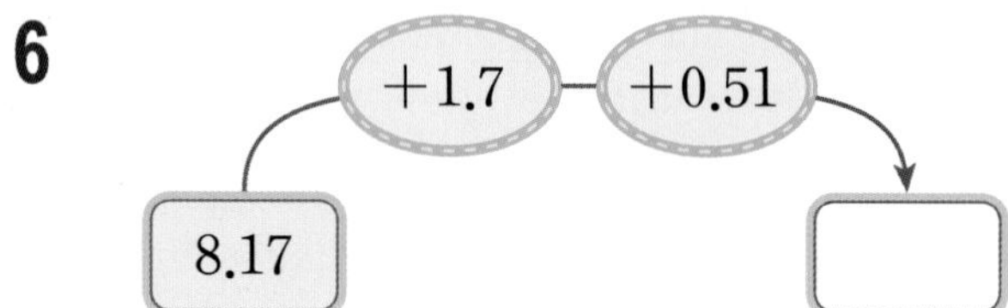

7

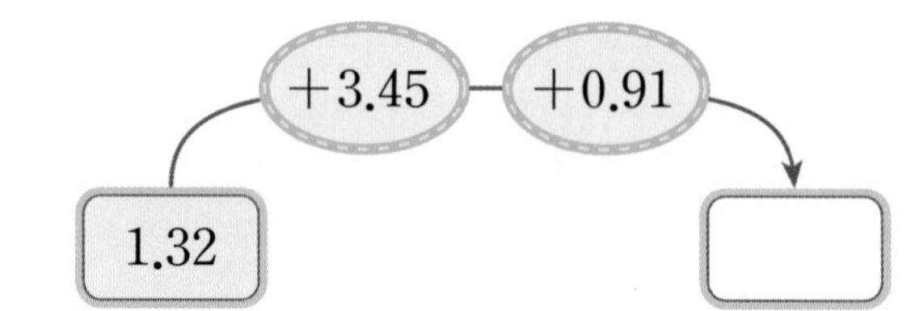

8

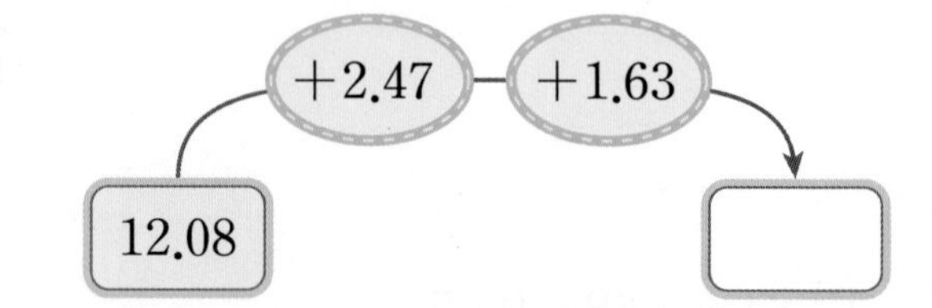

세 소수의 합을 구하세요.

9

4.9 9.3 1.7

( )

10

3.4 1.46 8.4

( )

11

13.7 0.2 7.5

( )

12

8.3 6.8 5.9

( )

13

4.59 1.7 6.32

( )

14

2.67 1.89 5.41

( )

15

20.4 11.25 3.18

( )

16

7.3 12.6 3.91

( )

3. 소수의 덧셈

계산을 하세요.

1 $0.3+0.5$

2 $0.2+0.4$

3 $0.9+0.7$

4 $0.8+0.5$

5 $0.32+0.61$

6 $0.77+0.18$

7 $0.85+0.21$

8 $0.98+0.35$

9 $1.6+5.1$

10 $3.7+4.5$

11 $7.1+5.8$

12 $9.3+7.9$

13 $11.9+2.7$

14 $1.66+2.01$

15 $3.58+1.23$

16 $2.14+4.67$

17 $5.45+7.13$

18 $10.68+2.93$

19 $1.1+3.42$

20 $4.2+0.59$

21 $6.63+1.5$

22 $3.3+3.74$

23 $12.47+5.8$

24 $1.4+3.4+5.8$

25 $2.6+0.74+4.6$

26 $3.15+7.2+1.84$

27 $0.86+4.31+2.57$

28 $13.9+1.98+6.5$

연습

❶ (소수 한 자리 수)−(소수 한 자리 수)

계산을 하세요.

1 $\begin{array}{r} 0.7 \\ -\ 0.1 \\ \hline \end{array}$

2 $\begin{array}{r} 0.9 \\ -\ 0.3 \\ \hline \end{array}$

3 $\begin{array}{r} 0.3 \\ -\ 0.1 \\ \hline \end{array}$

4 $\begin{array}{r} 0.5 \\ -\ 0.2 \\ \hline \end{array}$

5 $\begin{array}{r} 0.4 \\ -\ 0.3 \\ \hline \end{array}$

6 $\begin{array}{r} 0.6 \\ -\ 0.1 \\ \hline \end{array}$

7 $\begin{array}{r} 0.8 \\ -\ 0.1 \\ \hline \end{array}$

8 $\begin{array}{r} 0.9 \\ -\ 0.7 \\ \hline \end{array}$

9 $\begin{array}{r} 0.4 \\ -\ 0.1 \\ \hline \end{array}$

10 $\begin{array}{r} 0.7 \\ -\ 0.4 \\ \hline \end{array}$

11 $\begin{array}{r} 0.8 \\ -\ 0.7 \\ \hline \end{array}$

12 $\begin{array}{r} 0.9 \\ -\ 0.6 \\ \hline \end{array}$

13 $0.8-0.6$

14 $0.9-0.1$

15 $0.5-0.3$

16 $0.6-0.3$

17 $0.7-0.5$

18 $0.4-0.2$

19 $0.5-0.4$

20 $0.6-0.4$

21 $0.8-0.2$

22 $0.3-0.2$

정확성 up!

23 지석이는 미술 시간에 자동차를 만드는 데 철사 0.9 m 중에서 0.5 m를 사용했습니다. 남은 철사는 몇 m일까요?

$0.9-0.5=\square$

답 ____________

적용

❶ (소수 한 자리 수)−(소수 한 자리 수)

빈 곳에 알맞은 수를 써넣으세요.

1

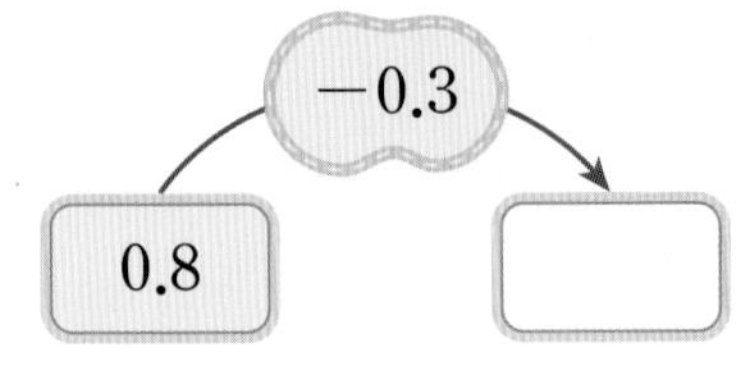

2

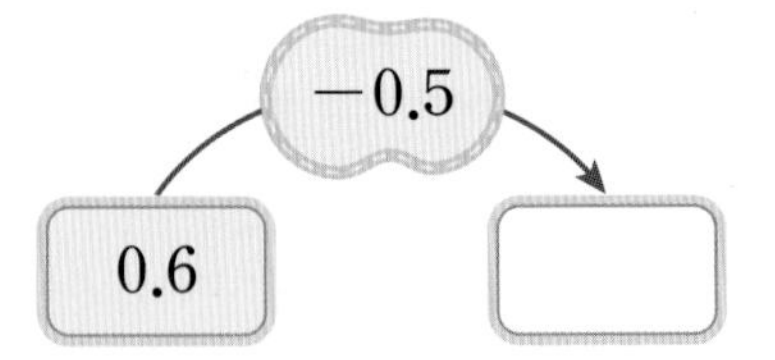

3

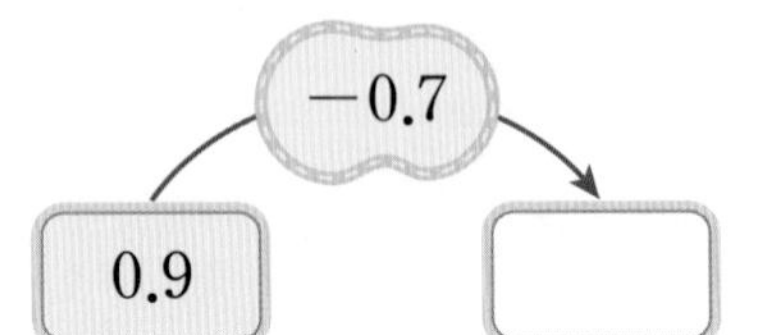

4

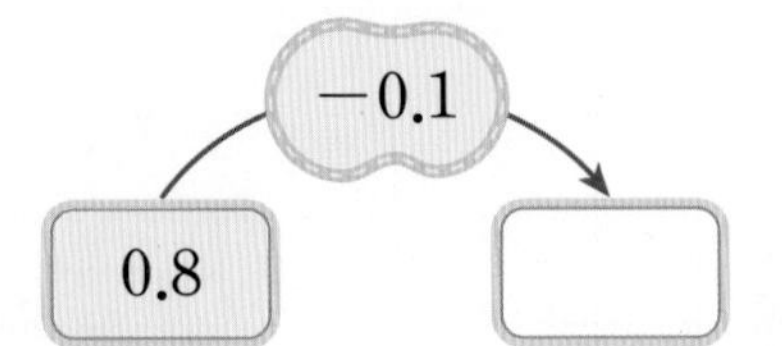

5

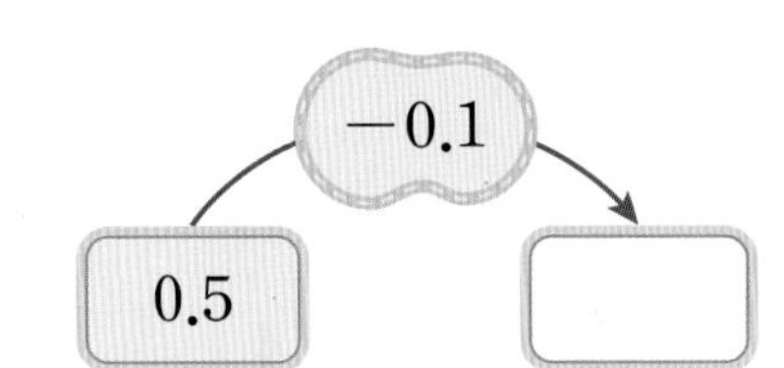

6

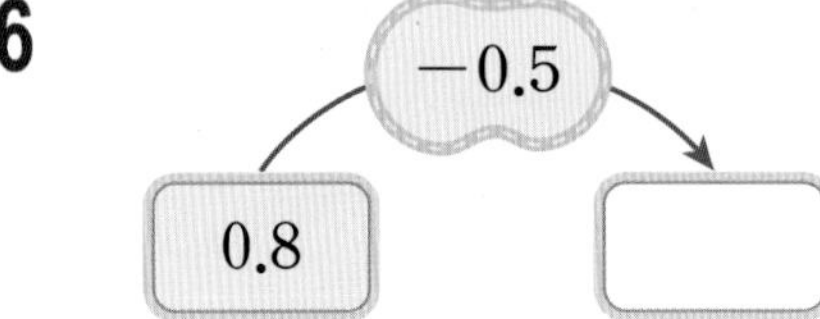
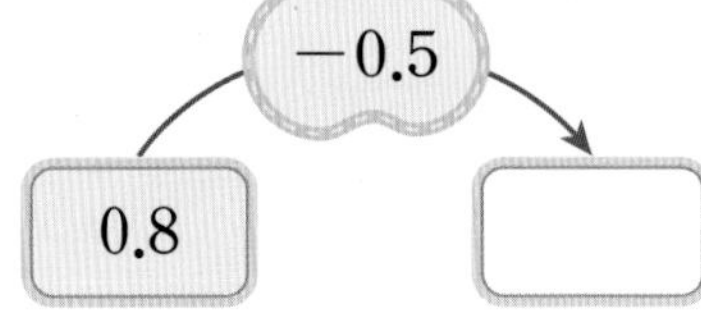

7

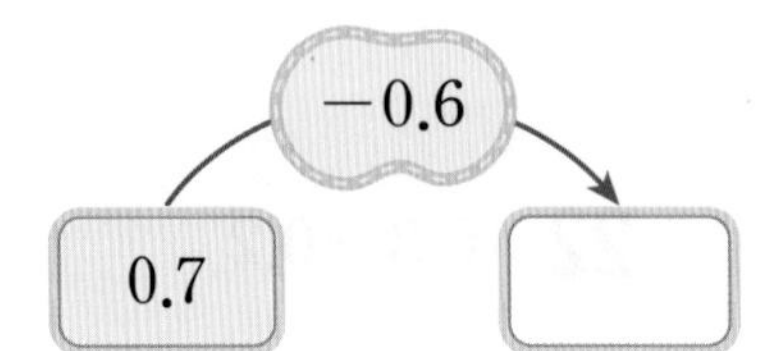

8

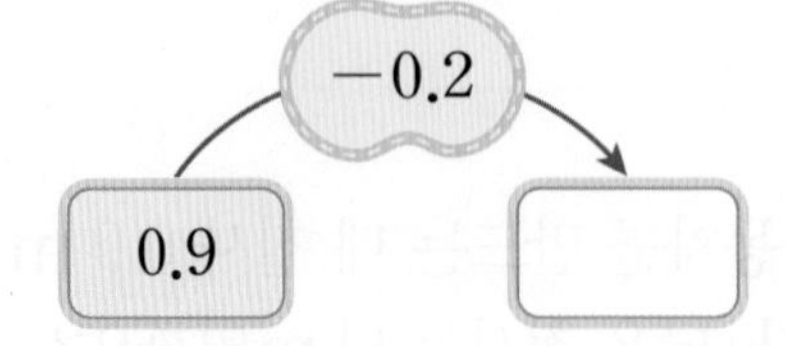

□ 안에 알맞은 수를 써넣으세요.

9

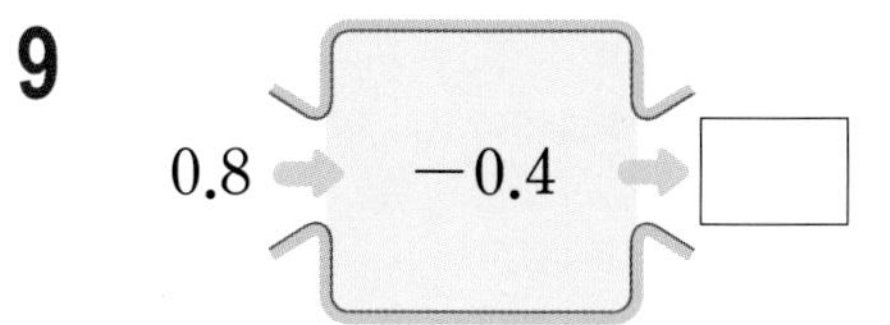

10

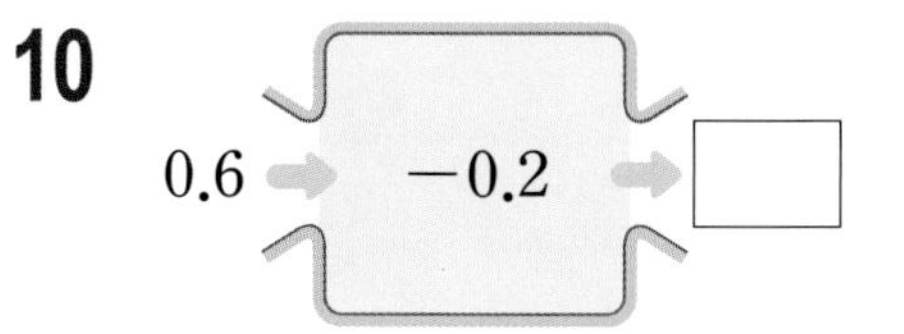

11

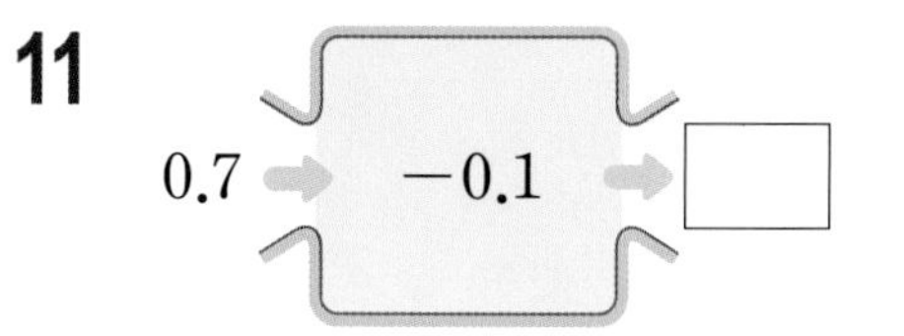

12

0.9 ➡ -0.8 ➡ □

13

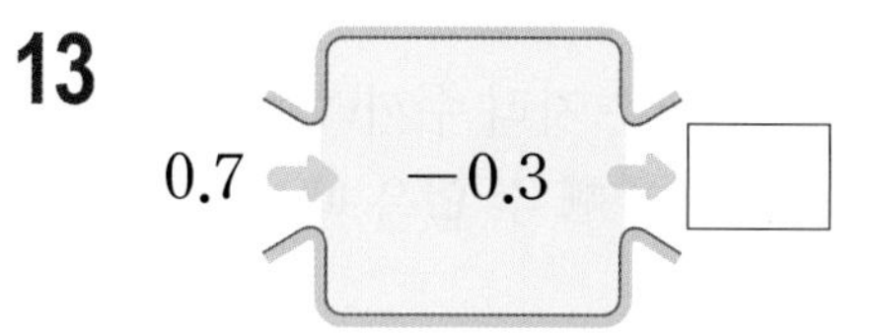

14

0.3 ➡ -0.1 ➡ □

15

0.5 ➡ -0.2 ➡ □

16

0.9 ➡ -0.4 ➡ □

원리 ❷ (소수 두 자리 수)−(소수 두 자리 수)

● (소수 두 자리 수)−(소수 두 자리 수)의 계산 방법

소수점의 자리를 맞추어 세로로 쓰고 같은 자리 수끼리 뺀 다음 소수점을 그대로 내려 찍습니다. 같은 자리 수끼리 뺄 수 없을 때에는 바로 윗자리에서 받아내림하여 계산합니다.

예 0.62−0.27의 계산

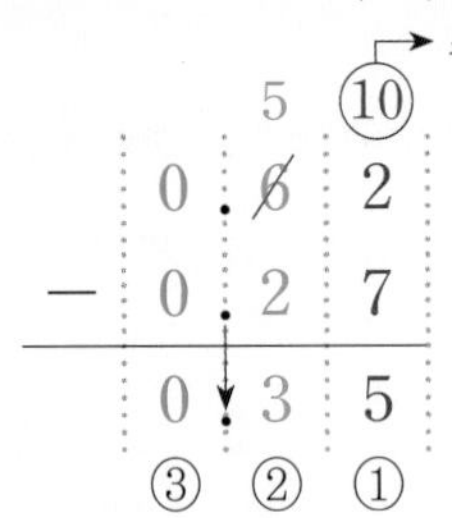

① 소수 둘째 자리 계산 ➡ 10+2−7=5

② 소수 첫째 자리 계산 ➡ 6−1−2=3

③ 일의 자리 계산 ➡ 0

조심이

소수 첫째 자리에서 소수 둘째 자리로 받아내림한 수를 잊어버리면 안 돼.

	0	.	6	2
−	0	.	2	7
	0	.	4	5

계산을 하세요.

1

	0.3	3
−	0.1	2

2

	0.4	8
−	0.3	3

3

	0.2	7
−	0.1	4

4

	0.8	8
−	0.4	1

5

	0.4	6
−	0.2	3

6

	0.2	4
−	0.1	1

7

	0.3	9
−	0.3	1

8

	0.7	8
−	0.3	7

정답 18쪽

월 일	분	개
학습 날짜	학습 시간	맞힌 개수

9
$$\begin{array}{r} 0.59 \\ -\ 0.42 \\ \hline \end{array}$$

10
$$\begin{array}{r} 0.65 \\ -\ 0.22 \\ \hline \end{array}$$

11
$$\begin{array}{r} 0.93 \\ -\ 0.72 \\ \hline \end{array}$$

12
$$\begin{array}{r} 0.46 \\ -\ 0.19 \\ \hline \end{array}$$

13
$$\begin{array}{r} 0.72 \\ -\ 0.57 \\ \hline \end{array}$$

14
$$\begin{array}{r} 0.82 \\ -\ 0.63 \\ \hline \end{array}$$

15
$$\begin{array}{r} 0.64 \\ -\ 0.38 \\ \hline \end{array}$$

16
$$\begin{array}{r} 0.81 \\ -\ 0.53 \\ \hline \end{array}$$

17
$$\begin{array}{r} 0.45 \\ -\ 0.28 \\ \hline \end{array}$$

18
$$\begin{array}{r} 0.55 \\ -\ 0.49 \\ \hline \end{array}$$

19
$$\begin{array}{r} 0.94 \\ -\ 0.77 \\ \hline \end{array}$$

20
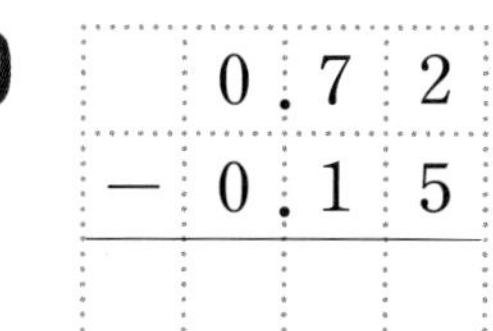
$$\begin{array}{r} 0.72 \\ -\ 0.15 \\ \hline \end{array}$$

21
$$\begin{array}{r} 0.84 \\ -\ 0.68 \\ \hline \end{array}$$

22
$$\begin{array}{r} 0.91 \\ -\ 0.29 \\ \hline \end{array}$$

연습 ❷ (소수 두 자리 수)−(소수 두 자리 수)

∷ 계산을 하세요.

1
$$\begin{array}{r} 0.65 \\ -\ 0.44 \\ \hline \end{array}$$

2
$$\begin{array}{r} 0.35 \\ -\ 0.21 \\ \hline \end{array}$$

3
$$\begin{array}{r} 0.67 \\ -\ 0.32 \\ \hline \end{array}$$

4
$$\begin{array}{r} 0.79 \\ -\ 0.47 \\ \hline \end{array}$$

5
$$\begin{array}{r} 0.86 \\ -\ 0.15 \\ \hline \end{array}$$

6
$$\begin{array}{r} 0.69 \\ -\ 0.27 \\ \hline \end{array}$$

7
$$\begin{array}{r} 0.55 \\ -\ 0.16 \\ \hline \end{array}$$

8
$$\begin{array}{r} 0.96 \\ -\ 0.48 \\ \hline \end{array}$$

9
$$\begin{array}{r} 0.68 \\ -\ 0.19 \\ \hline \end{array}$$

10
$$\begin{array}{r} 0.92 \\ -\ 0.36 \\ \hline \end{array}$$

11
$$\begin{array}{r} 0.41 \\ -\ 0.14 \\ \hline \end{array}$$

12
$$\begin{array}{r} 0.82 \\ -\ 0.66 \\ \hline \end{array}$$

월　일	분	개
학습 날짜	학습 시간	맞힌 개수

13 0.54－0.22

14 0.75－0.34

15 0.99－0.23

16 0.82－0.31

17 0.57－0.13

18 0.68－0.55

19 0.83－0.56

20 0.75－0.27

21 0.57－0.29

22 0.81－0.68

23 0.61－0.22

24 0.93－0.87

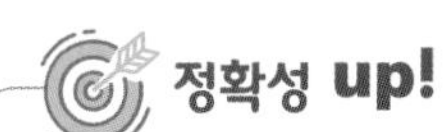

25 슬기의 어머니께서는 정육점에서 소고기 0.95 kg과 돼지고기 0.69 kg을 사셨습니다. 어머니께서 사신 소고기는 돼지고기보다 몇 kg 더 많을까요?

0.95－0.69＝☐

❷ (소수 두 자리 수)−(소수 두 자리 수)

∷ 두 수의 차를 빈 곳에 써넣으세요.

1

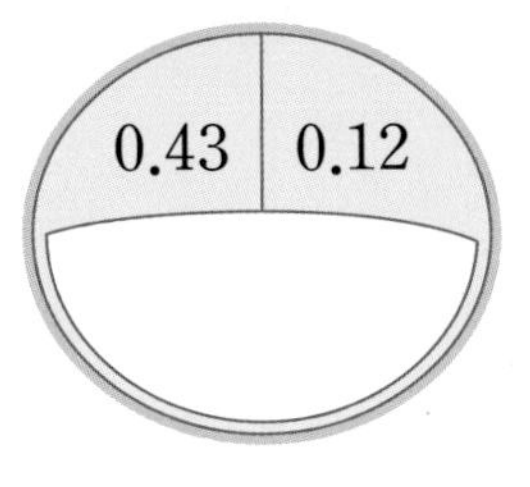

2

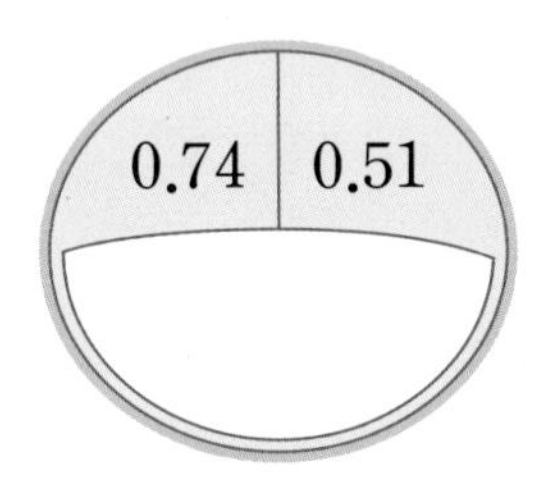

3

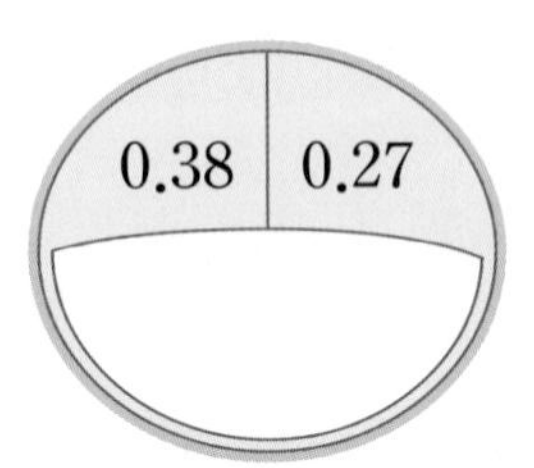

4

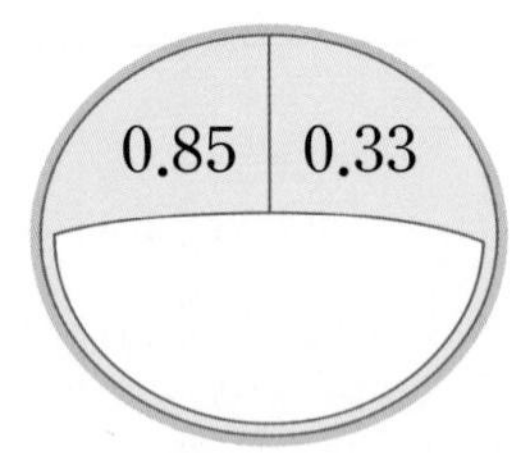

5

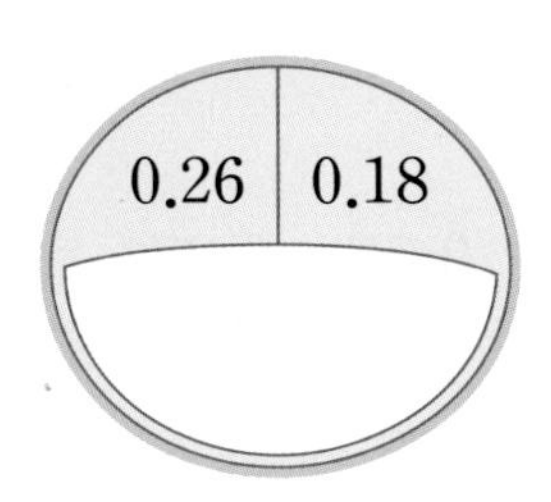

6

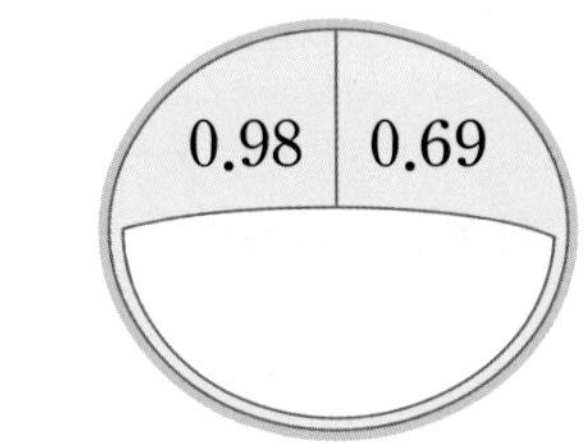

7

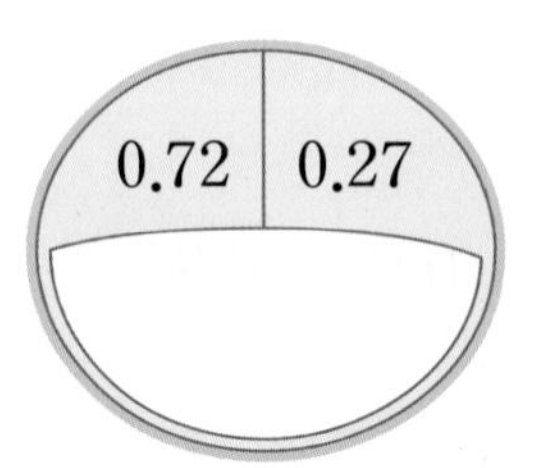

8

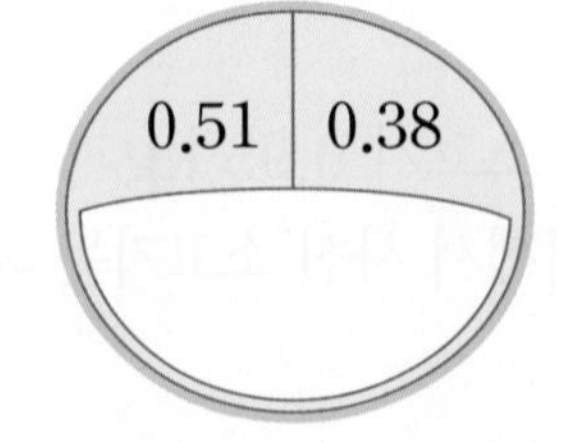

정확성 up!

□ 안에 알맞은 수를 써넣으세요.

9

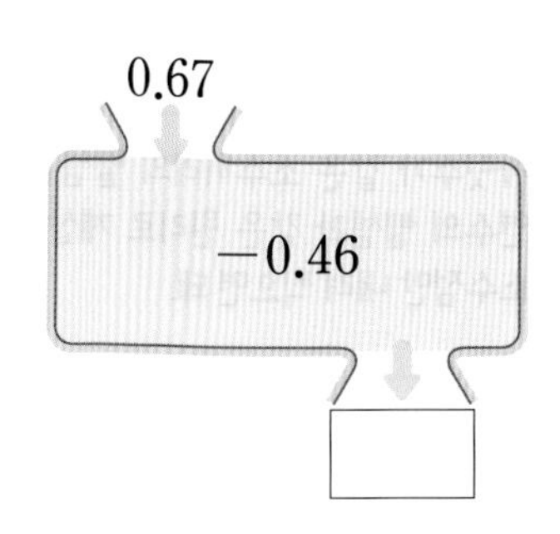

10

0.93

−0.62

□

11

12

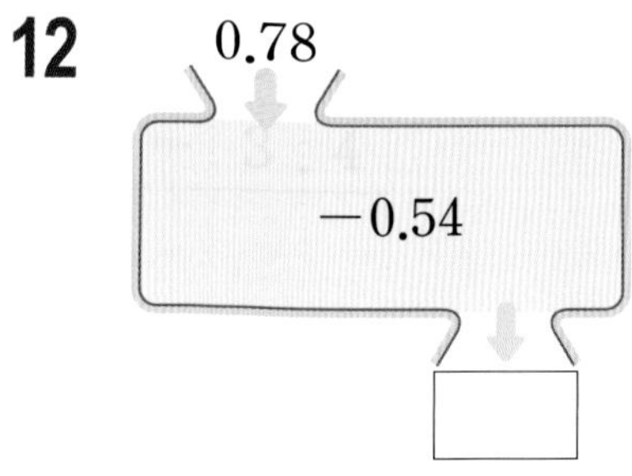

13

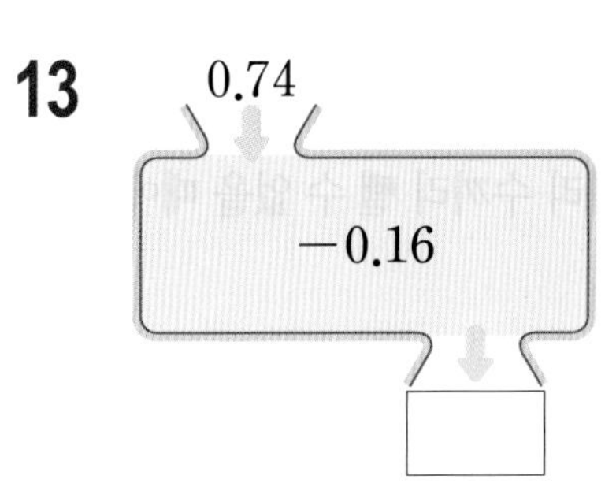

14

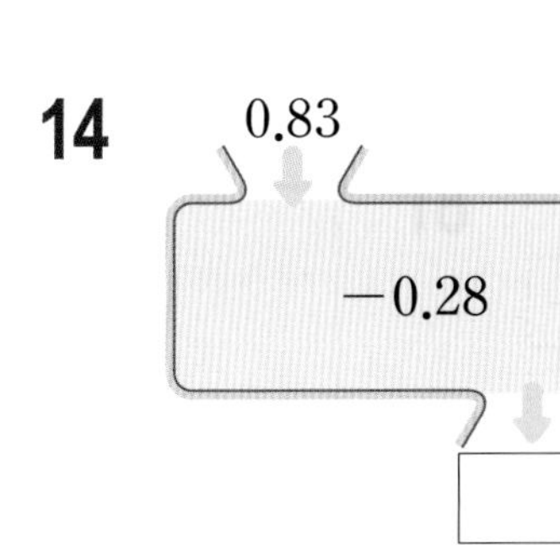

15

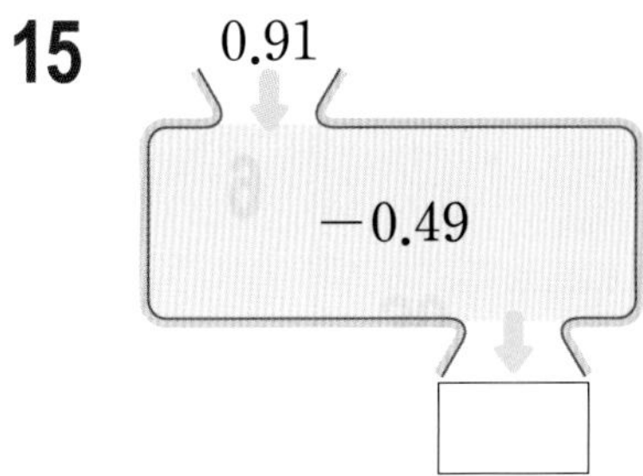

16

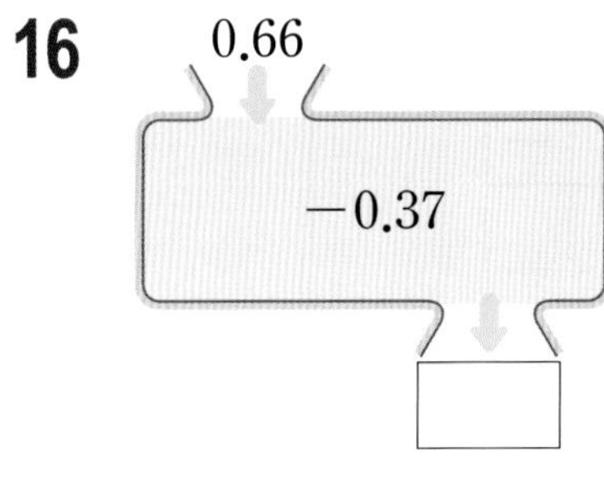

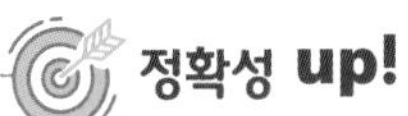

❸ 1보다 큰 소수 한 자리 수의 뺄셈

계산을 하세요.

1
$$\begin{array}{r} 4.7 \\ -\ 3.2 \\ \hline \end{array}$$

2
$$\begin{array}{r} 8.2 \\ -\ 5.1 \\ \hline \end{array}$$

3
$$\begin{array}{r} 5.9 \\ -\ 1.5 \\ \hline \end{array}$$

4
$$\begin{array}{r} 3.6 \\ -\ 2.3 \\ \hline \end{array}$$

5
$$\begin{array}{r} 7.8 \\ -\ 4.7 \\ \hline \end{array}$$

6
$$\begin{array}{r} 9.5 \\ -\ 6.2 \\ \hline \end{array}$$

7
$$\begin{array}{r} 5.4 \\ -\ 2.9 \\ \hline \end{array}$$

8
$$\begin{array}{r} 3.6 \\ -\ 1.8 \\ \hline \end{array}$$

9
$$\begin{array}{r} 7.3 \\ -\ 5.5 \\ \hline \end{array}$$

10
$$\begin{array}{r} 8.1 \\ -\ 4.8 \\ \hline \end{array}$$

11
$$\begin{array}{r} 4.6 \\ -\ 3.9 \\ \hline \end{array}$$

12
$$\begin{array}{r} 9.2 \\ -\ 6.7 \\ \hline \end{array}$$

13 $6.4-1.2$

14 $8.7-3.6$

15 $4.9-2.5$

16 $9.3-7.1$

17 $5.5-4.3$

18 $7.2-5.1$

19 $4.1-3.8$

20 $7.5-5.9$

21 $11.5-7.9$

22 $8.4-2.6$

23 $13.2-11.3$

24 $19.3-5.9$

정확성 up!

25 예준이네 집에서 소방서까지의 거리는 5.1 km이고 경찰서까지의 거리는 2.4 km입니다. 예준이네 집에서 소방서까지의 거리는 경찰서까지의 거리보다 몇 km 더 멀까요?

$5.1-2.4=\square$

답 ______

❸ 1보다 큰 소수 한 자리 수의 뺄셈

빈 곳에 알맞은 수를 써넣으세요.

1 8.9 → -2.4 → □

2 10.5 → -9.3 → □

3 13.7 → -10.5 → □

4 15.3 → -7.2 → □

5 3.2 → -1.7 → □

6 6.3 → -3.5 → □

7 9.5 → -7.7 → □

8 10.1 → -5.2 → □

정확성 up!

빈 곳에 알맞은 수를 써넣으세요.

9

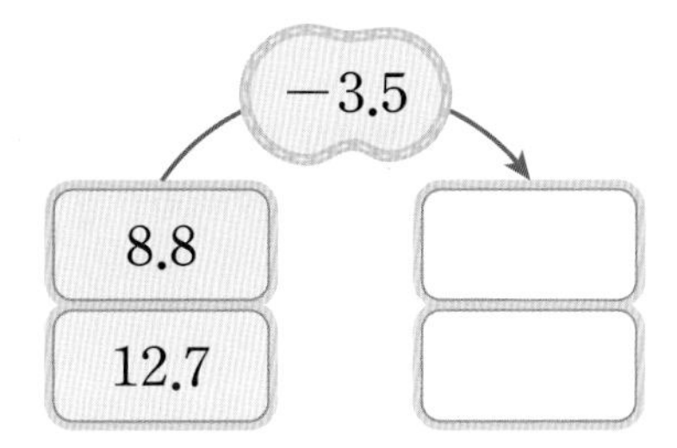

10

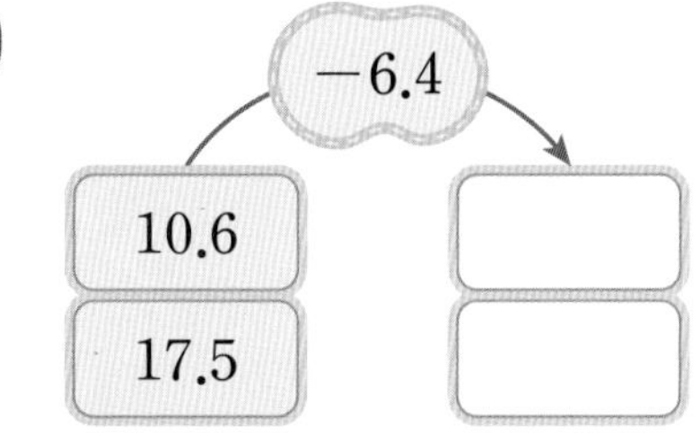

11

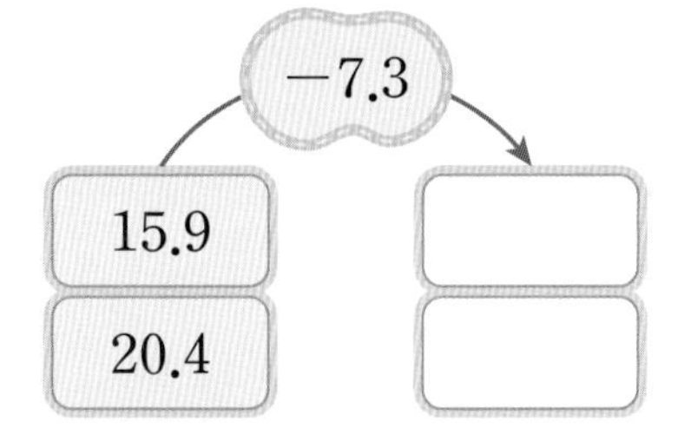

12

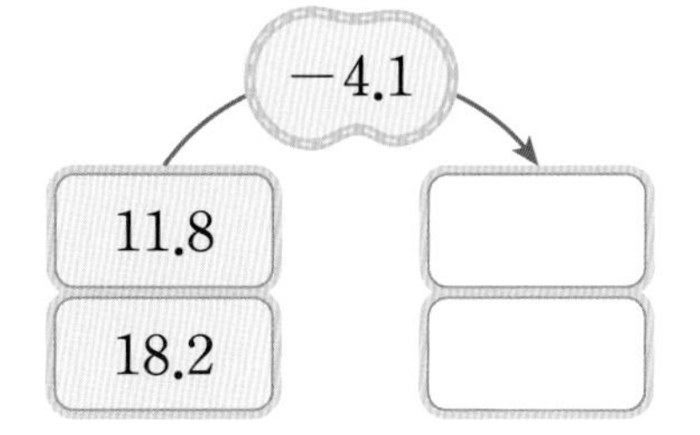

13

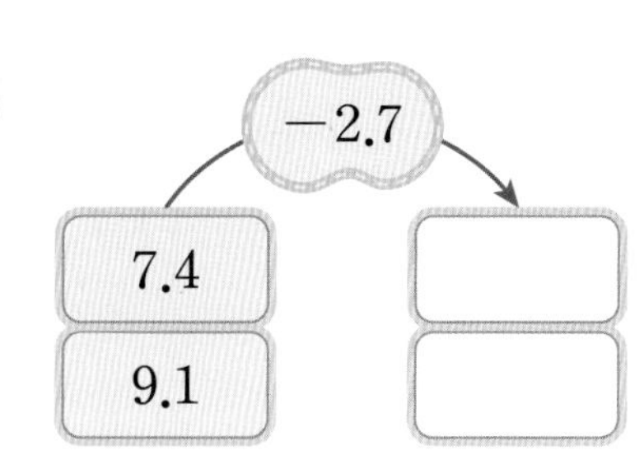

14

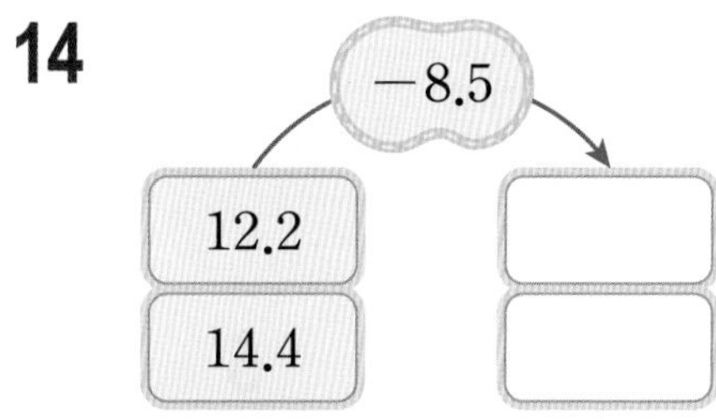
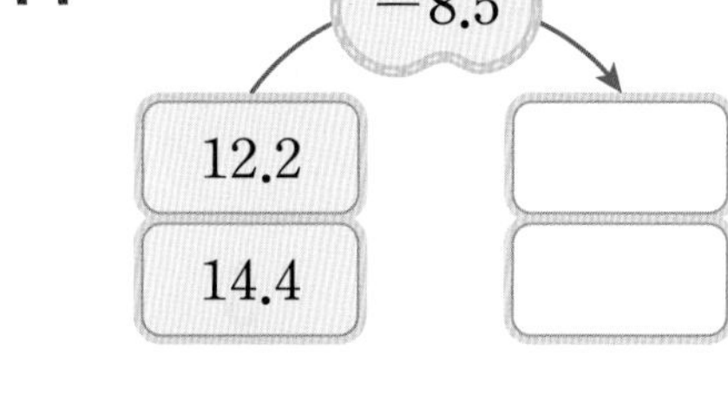

15

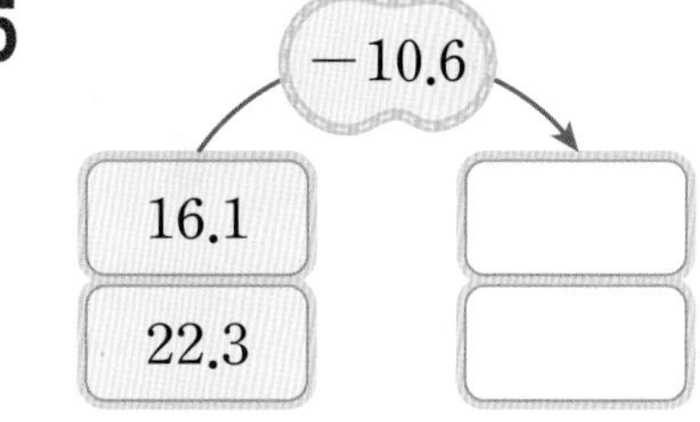

16

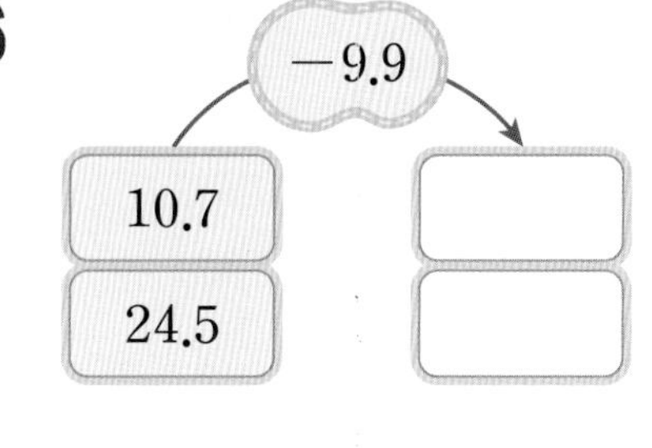

❹ 1보다 큰 소수 두 자리 수의 뺄셈

● 1보다 큰 소수 두 자리 수의 뺄셈 계산 방법

소수점의 자리를 맞추어 세로로 쓰고 같은 자리 수끼리 뺀 다음 소수점을 그대로 내려 찍습니다. 같은 자리 수끼리 뺄 수 없을 때에는 바로 윗자리에서 받아내림하여 계산합니다.

예 7.38－4.59의 계산

	6	12	10
	~~7~~ .	~~3~~	8
－	4 .	5	9
	2 .	7	9
	③	②	①

① 소수 둘째 자리 계산 ➡ 10+8－9=9

② 소수 첫째 자리 계산 ➡ 3－1+10－5=7

③ 일의 자리 계산 ➡ 7－1－4=2

조심이: 자연수의 뺄셈과 같이 계산한 다음 소수점을 찍는 걸 잊어버리면 안 돼.

계산을 하세요.

1

	3 .	3	4
－	1 .	1	2

2

	4 .	5	2
－	2 .	3	1

3

	6 .	7	7
－	3 .	2	5

4

	8 .	5	9
－	4 .	4	8

5

	5 .	6	7
－	2 .	5	2

6

	6 .	4	2
－	1 .	3	1

7

	9 .	8	7
－	5 .	4	5

8

	7 .	5	4
－	3 .	2	2

9
$$\begin{array}{r} 2.18 \\ -\ 1.09 \\ \hline \end{array}$$

10
$$\begin{array}{r} 5.73 \\ -\ 2.48 \\ \hline \end{array}$$

11
$$\begin{array}{r} 4.62 \\ -\ 1.37 \\ \hline \end{array}$$

12
$$\begin{array}{r} 8.15 \\ -\ 6.09 \\ \hline \end{array}$$

13
$$\begin{array}{r} 5.73 \\ -\ 2.54 \\ \hline \end{array}$$

14
$$\begin{array}{r} 3.18 \\ -\ 1.47 \\ \hline \end{array}$$

15
$$\begin{array}{r} 7.35 \\ -\ 3.62 \\ \hline \end{array}$$

16
$$\begin{array}{r} 8.52 \\ -\ 3.99 \\ \hline \end{array}$$

17
$$\begin{array}{r} 6.34 \\ -\ 5.37 \\ \hline \end{array}$$

18
$$\begin{array}{r} 8.46 \\ -\ 5.79 \\ \hline \end{array}$$

19
$$\begin{array}{r} 6.63 \\ -\ 4.86 \\ \hline \end{array}$$

20
$$\begin{array}{r} 7.36 \\ -\ 2.48 \\ \hline \end{array}$$

21
$$\begin{array}{r} 6.24 \\ -\ 1.76 \\ \hline \end{array}$$

22
$$\begin{array}{r} 9.55 \\ -\ 4.69 \\ \hline \end{array}$$

연습

❺ 자릿수가 다른 소수의 뺄셈

계산을 하세요.

1
$$\begin{array}{r} 1.82 \\ -\ 1.5 \\ \hline \end{array}$$

2
$$\begin{array}{r} 7.39 \\ -\ 2.2 \\ \hline \end{array}$$

3
$$\begin{array}{r} 4.97 \\ -\ 1.2 \\ \hline \end{array}$$

4
$$\begin{array}{r} 5.63 \\ -\ 3.4 \\ \hline \end{array}$$

5
$$\begin{array}{r} 3.46 \\ -\ 2.8 \\ \hline \end{array}$$

6
$$\begin{array}{r} 8.47 \\ -\ 4.8 \\ \hline \end{array}$$

7
$$\begin{array}{r} 6.7 \\ -\ 1.62 \\ \hline \end{array}$$

8
$$\begin{array}{r} 9.8 \\ -\ 6.23 \\ \hline \end{array}$$

9
$$\begin{array}{r} 6.5 \\ -\ 1.04 \\ \hline \end{array}$$

10
$$\begin{array}{r} 8.4 \\ -\ 4.98 \\ \hline \end{array}$$

11
$$\begin{array}{r} 7.7 \\ -\ 3.81 \\ \hline \end{array}$$

12
$$\begin{array}{r} 5.3 \\ -\ 4.65 \\ \hline \end{array}$$

13 $7.54-3.1$

14 $8.78-6.5$

15 $5.87-4.5$

16 $6.36-2.8$

17 $4.62-2.9$

18 $6.12-5.5$

19 $3.2-1.13$

20 $9.6-2.39$

21 $2.2-1.71$

22 $9.3-4.38$

23 $7.1-6.23$

24 $8.3-2.54$

정확성 up!

실력 up

25 들이가 8.6 L인 빈 수조에 물을 5.74 L 채웠습니다. 이 수조에 물을 가득 채우려면 물을 몇 L 더 부어야 할까요?

$8.6-5.74=$ □

답 ________

❻ 세 소수의 뺄셈

세 소수의 뺄셈 계산 방법

앞에서부터 두 수씩 차례로 계산합니다.

예 8.57−3.3−2.15의 계산

$8.57-3.3-2.15=3.12$

① $8.57-3.3=5.27$

② $5.27-2.15=3.12$

조심이

세 소수의 뺄셈에서 빼는 순서가 바뀌면 계산 결과가 틀리게 돼.

$8.57-3.3-2.15=7.42$ (1.15, 7.42) ✕

□ 안에 알맞은 수를 써넣으세요.

1 $9.7-4.3-2.2=\square$

① $9.7-4.3=\square$

② $\square-2.2=\square$

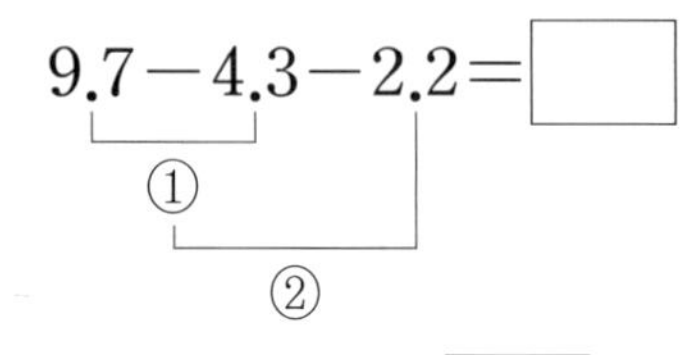

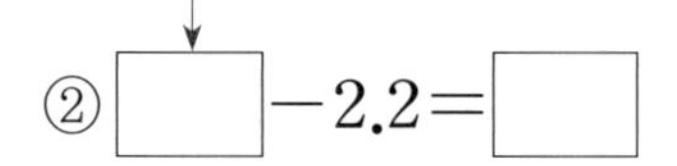

2 $7.8-0.5-5.1=\square$

① $7.8-0.5=\square$

② $\square-5.1=\square$

3 $6.96-0.73-4.12=\square$

① $6.96-0.73=\square$

② $\square-4.12=\square$

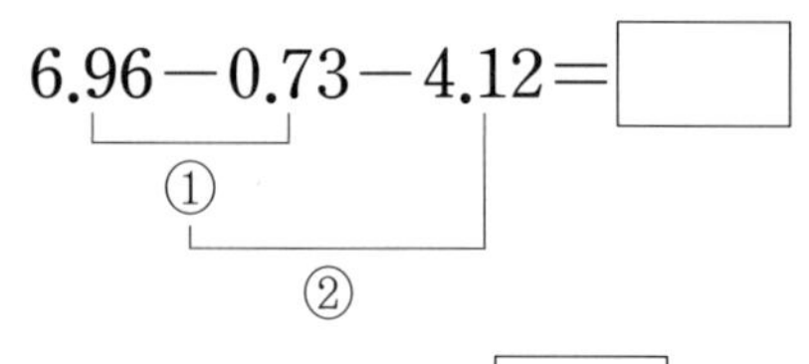

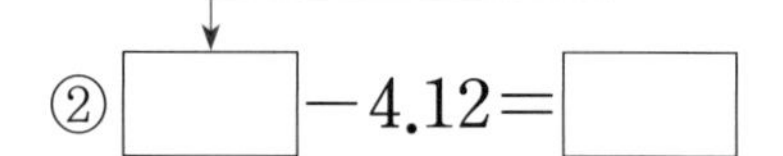

4 $5.8-2.4-2.35=\square$

① $5.8-2.4=\square$

② $\square-2.35=\square$

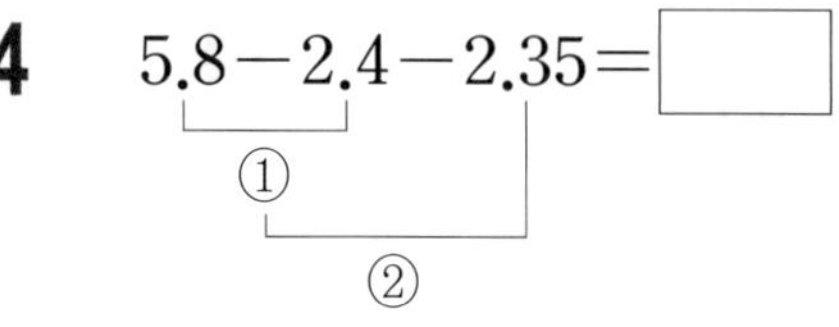

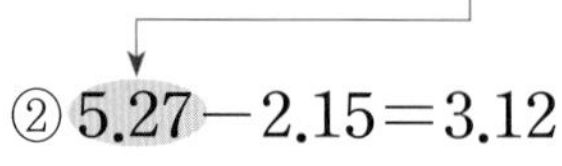

5 $9.6-4.12-3.3=\square$

① $9.6-4.12=\square$

② $\square-3.3=\square$

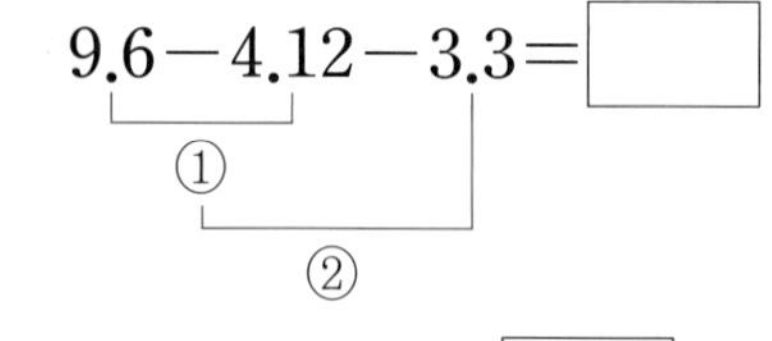

6 $8.87-1.25-3.6=\square$

① $8.87-1.25=\square$

② $\square-3.6=\square$

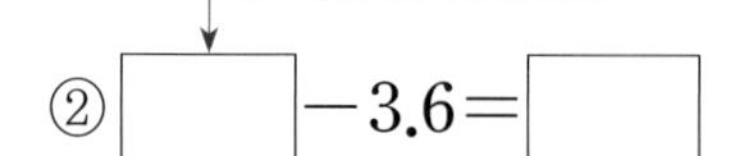

7 $5.9-0.5-2.1=\square$

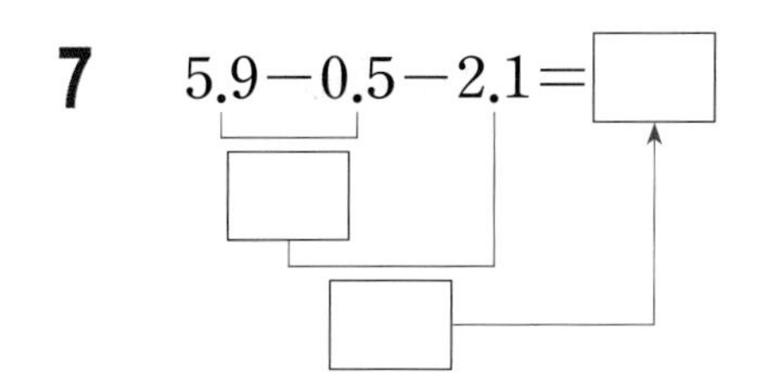

8 $6.5-3.2-1.8=\square$

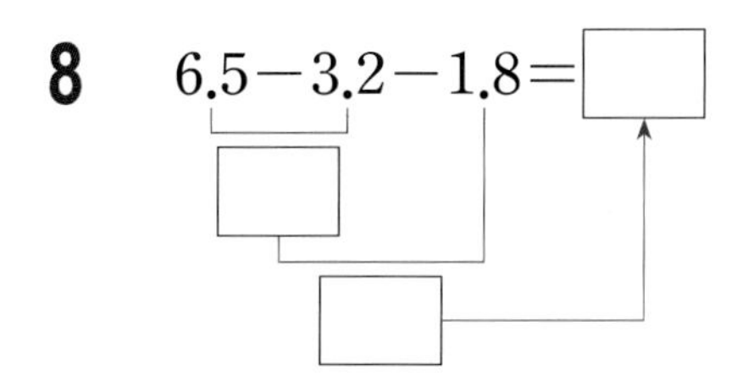

9 $8.6-2.8-3.6=\square$

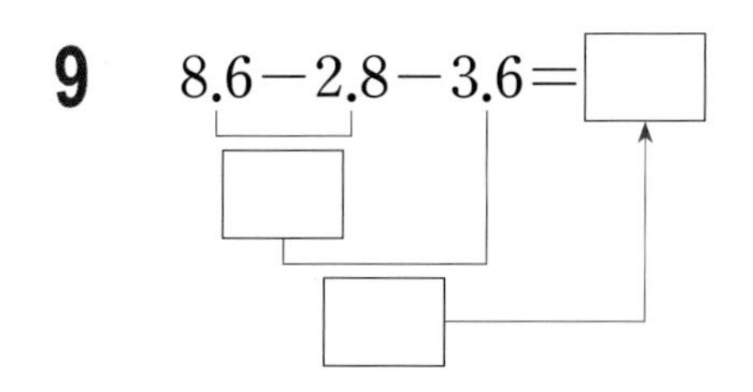

10 $9.4-4.2-0.73=\square$

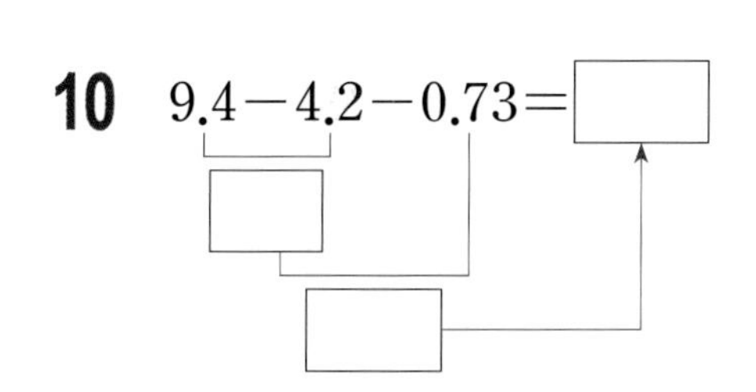

11 $7.6-3.12-3.4=\square$

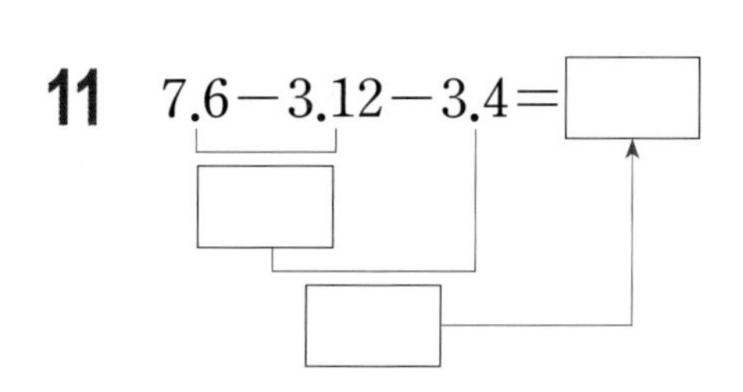

12 $4.86-0.9-3.8=\square$

13 $11.5-5.12-5.37=\square$

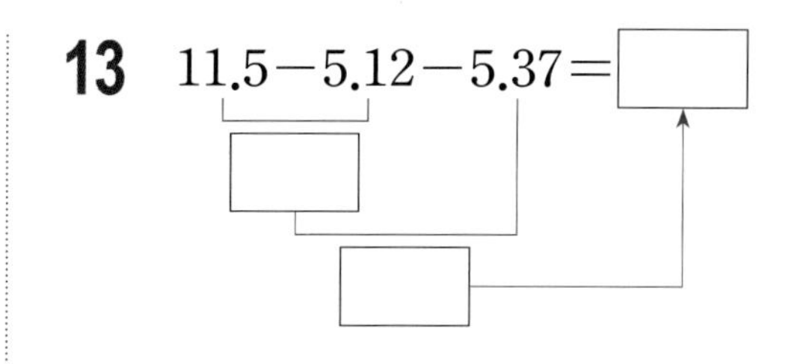

14 $9.57-3.22-4.3=\square$

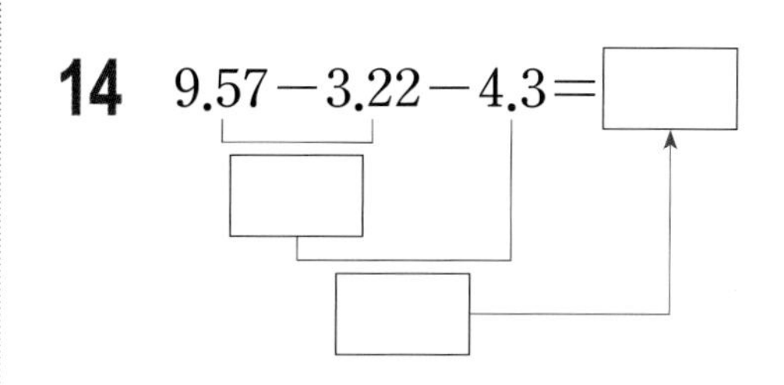

15 $7.74-2.8-1.43=\square$

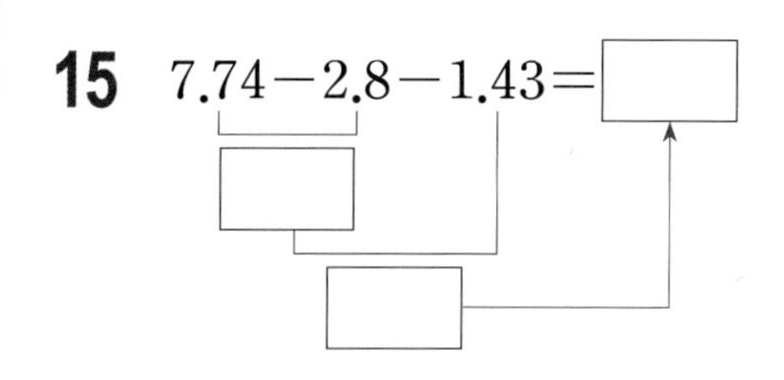

16 $8.38-0.34-5.51=\square$

17 $6.93-3.57-1.26=\square$

18 $3.86-0.87-1.62=\square$

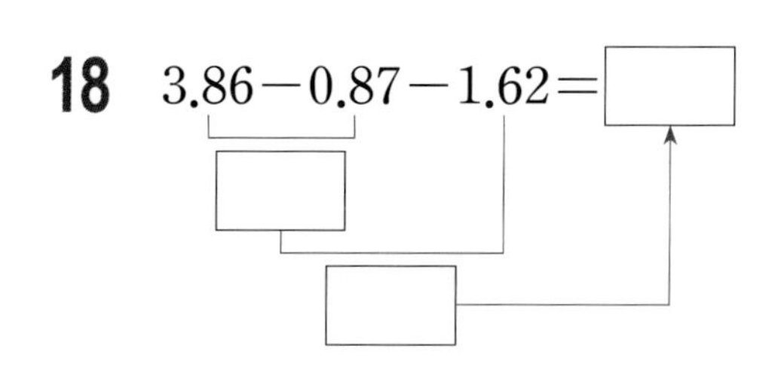

❻ 세 소수의 뺄셈

⁘ 계산을 하세요.

1 $9.4-4.2-3.6$

2 $11.8-6.9-1.5$

3 $8.7-3.3-2.4$

4 $10.5-2.6-0.72$

5 $7.6-1.25-3.1$

6 $13.9-3.62-6.8$

7 $9.83-5.6-2.2$

8 $12.56-5.7-2.44$

9 $14.3-4.21-7.75$

10 $9.58-2.27-4.6$

11 $6.94-0.73-1.08$

12 $11.25-7.32-2.83$

13 $15.17-3.24-8.55$

14 $10.88-0.61-6.42$

15 $12.6-2.4-9.3$

16 $7.2-1.9-4.1$

17 $10.7-5.8-3.23$

18 $8.5-1.12-0.9$

19 $15.34-9.5-3.8$

20 $18.45-7.8-3.6$

21 $22.96-4.38-6.9$

22 $11.79-6.25-4.5$

23 $9.86-1.79-2.1$

24 $16.4-5.28-3.07$

25 $20.08-8.24-6.59$

26 $17.47-7.16-4.23$

실력 up

27 지후는 길이가 25.55 cm인 색 테이프 중에서 리본을 만드는 데 10.47 cm 사용하였고, 동생에게 8.26 cm를 주었습니다. 남은 색 테이프는 몇 cm일까요?

$25.55-10.47-8.26=\square$

답

❻ 세 소수의 뺄셈

빈 곳에 알맞은 수를 써넣으세요.

1

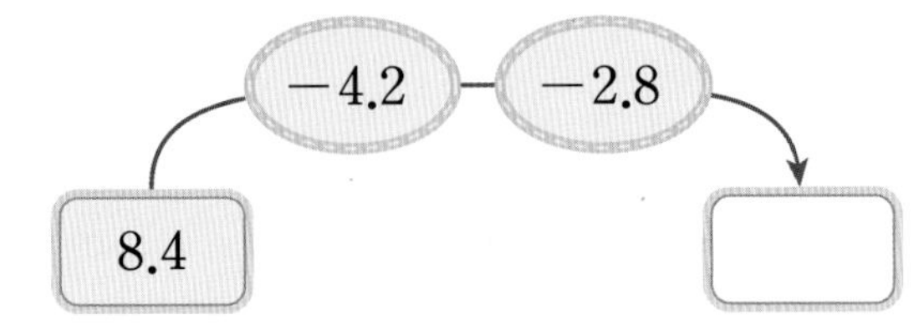

2

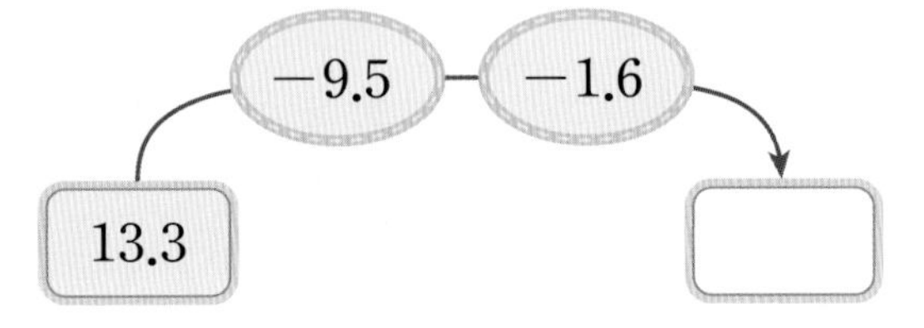

3

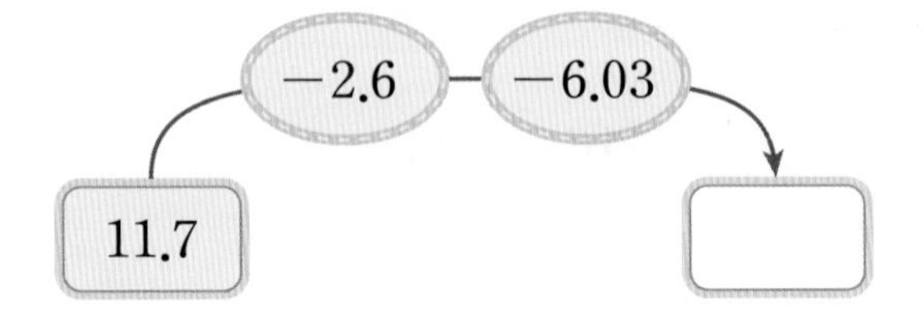

4

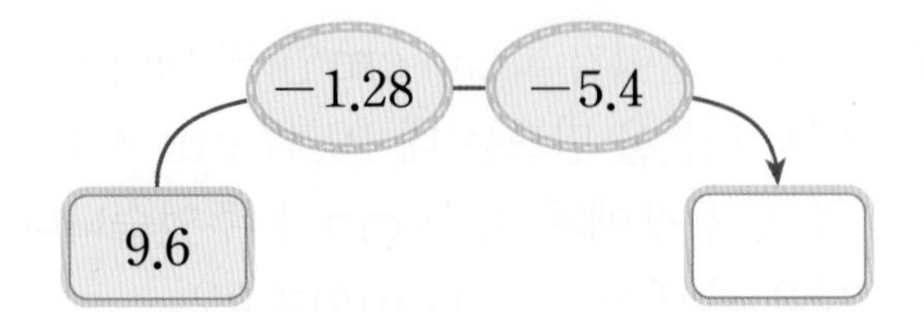

5

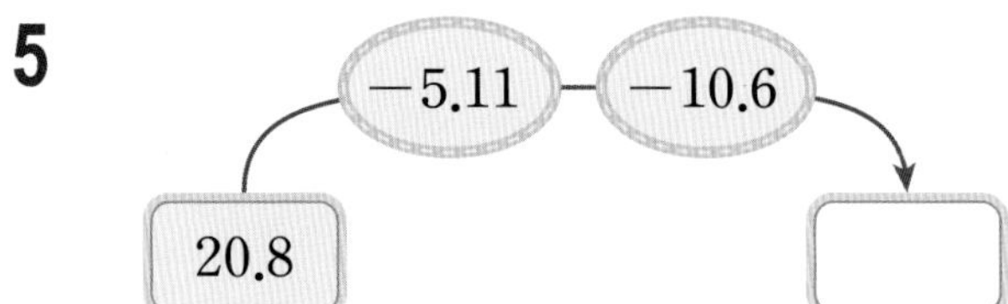

6

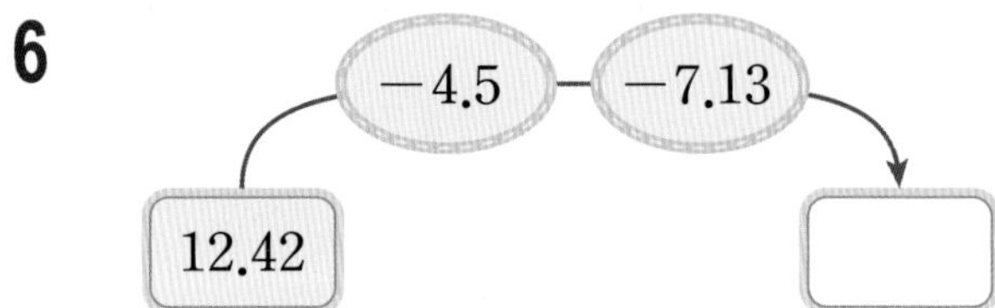

7

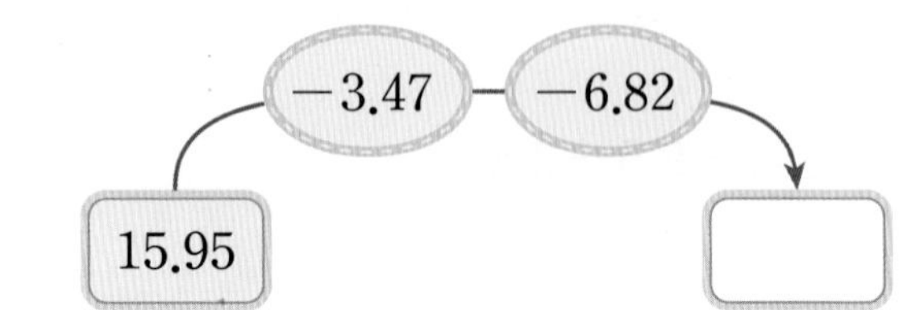

8

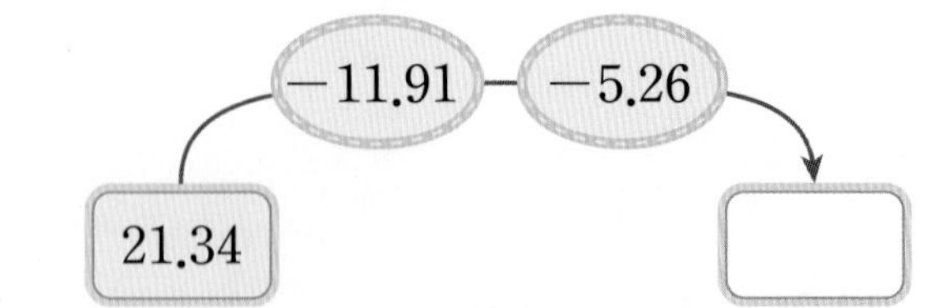

가장 큰 수에서 나머지 두 수를 뺀 값을 구하세요.

9

10.4 3.7 5.1

( )

10

6.9 16.6 2.5

( )

11

0.82 7.3 12.1

( )

12

15.2 4.16 8.8

( )

13

3.5 9.71 2.02

( )

14

14.8 4.73 0.35

( )

15

5.92 13.66 6.47

( )

16

12.05 8.86 25.34

( )

원리 ❼ 세 소수의 덧셈과 뺄셈

● 세 소수의 덧셈과 뺄셈 계산 방법

앞에서부터 두 수씩 차례로 계산합니다.

예 3.54+7.2−8.43의 계산

$3.54+7.2-8.43=2.31$

① $3.54+7.2=10.74$

② $10.74-8.43=2.31$

뿡뿡이

덧셈과 뺄셈이 섞여 있는 세 수의 계산은 반드시 앞에서부터 두 수씩 차례로 계산해야 해.

□ 안에 알맞은 수를 써넣으세요.

1 $6.5+1.8-4.2=\square$

① $6.5+1.8=\square$

② $\square-4.2=\square$

2 $4.8+2.5-3.72=\square$

① $4.8+2.5=\square$

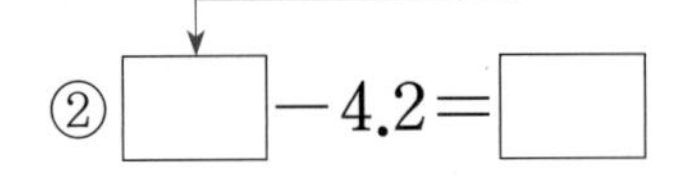

② $\square-3.72=\square$

3 $1.34+7.65-2.76=\square$

① $1.34+7.65=\square$

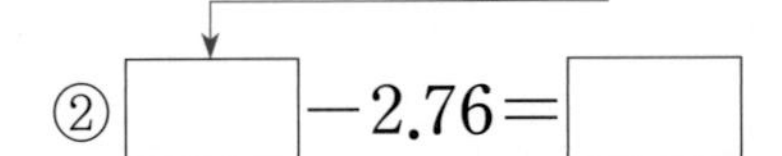

② $\square-2.76=\square$

4 $8.4-1.5+1.23=\square$

① $8.4-1.5=\square$

② $\square+1.23=\square$

5 $9.76-4.25+5.8=\square$

① $9.76-4.25=\square$

② $\square+5.8=\square$

6 $8.48-1.55+2.23=\square$

① $8.48-1.55=\square$

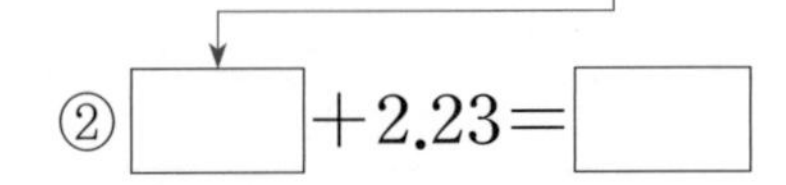

② $\square+2.23=\square$

7 $7.4+2.8-5.5=\square$

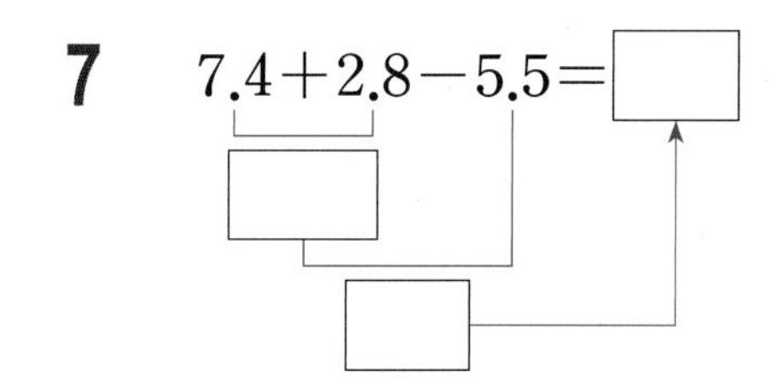

8 $10.3+2.8-7.4=\square$

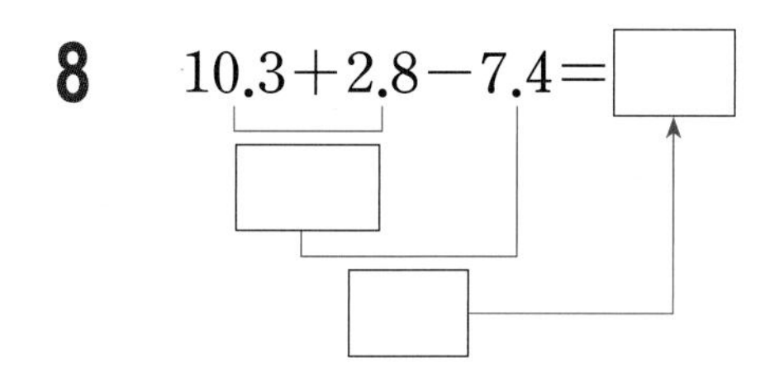

9 $8.16+1.9-2.6=\square$

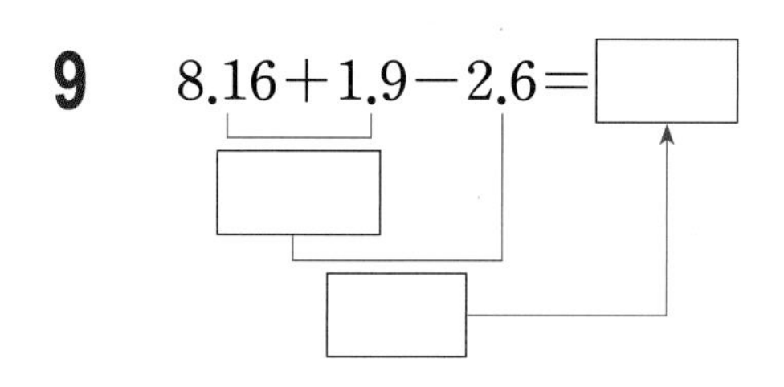

10 $3.18+4.21-6.5=\square$

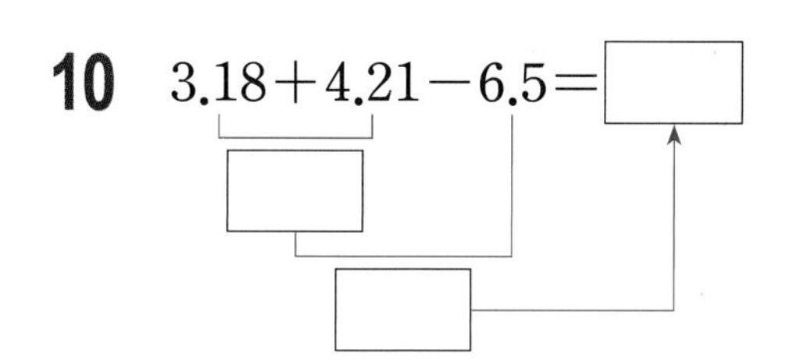

11 $5.44+1.32-4.75=\square$

12 $9.72+6.8-8.43=\square$

13 $9.23-3.5+1.72=\square$

14 $6.2-0.6+7.3=\square$

15 $12.8-4.4+5.8=\square$

16 $3.87-0.79+6.2=\square$

17 $8.54-6.73+2.56=\square$

18 $7.32-4.21+5.52=\square$

연습 ❼ 세 소수의 덧셈과 뺄셈

계산을 하세요.

1 $1.34+7.8-6.5$

2 $3.9+3.9-4.83$

3 $6.7+7.62-8.2$

4 $9.5+1.28-5.64$

5 $14.1+8.6-9.8$

6 $7.74+1.33-2.07$

7 $15.29+6.86-8.22$

8 $7.6-6.8+3.4$

9 $9.8-3.6+5.58$

10 $2.46-1.53+8.1$

11 $5.74-3.4+0.66$

12 $13.2-7.5+9.9$

13 $17.43-10.51+1.86$

14 $10.75-4.47+8.26$

15 $10.6+7.8-9.25$

16 $8.5+11.29-10.72$

17 $4.28+9.84-12.6$

18 $15.7+5.24-9.68$

19 $13.23+4.35-15.72$

20 $15.16+6.45-8.63$

21 $19.44+8.27-10.39$

22 $11.8-6.4+12.7$

23 $9.5-7.19+8.3$

24 $8.62-3.5+6.85$

25 $13.48-9.57+2.16$

26 $17.22-5.41+4.75$

실력 up

27 정후네 집에서 도서관을 지나 미술관까지 가는 거리는 미술관까지 바로 가는 거리보다 몇 km 더 멀까요?

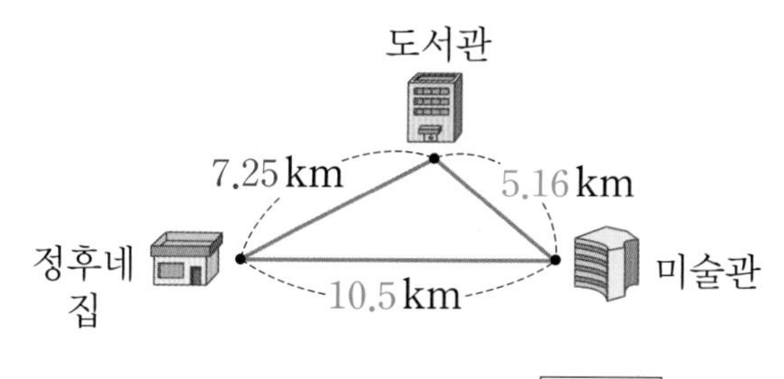

$7.25+5.16-10.5=$ ☐

답

적용 ⑦ 세 소수의 덧셈과 뺄셈

빈 곳에 알맞은 수를 써넣으세요.

1 ⊕ ⊖ →

7.12	8.3	2.4	

2 ⊕ ⊖ →

13.7	11.5	12.6	

3 ⊕ ⊖ →

6.1	15.82	16.23	

4 ⊕ ⊖ →

9.7	3.05	5.42	

5

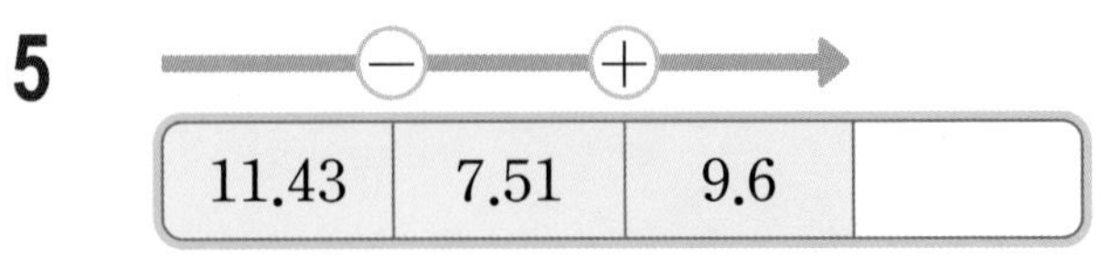
⊖ ⊕ →

11.43	7.51	9.6	

6 ⊖ ⊕ →

20.2	12.5	4.9	

7

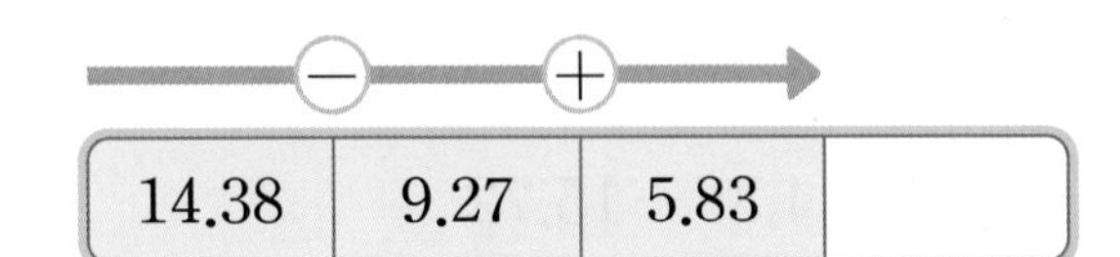
⊖ ⊕ →

14.38	9.27	5.83	

8

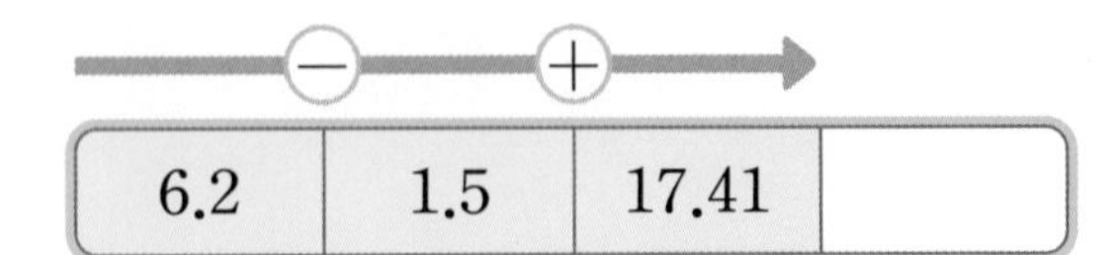
⊖ ⊕ →

6.2	1.5	17.41	

:: 빈 곳에 알맞은 수를 써넣으세요.

9

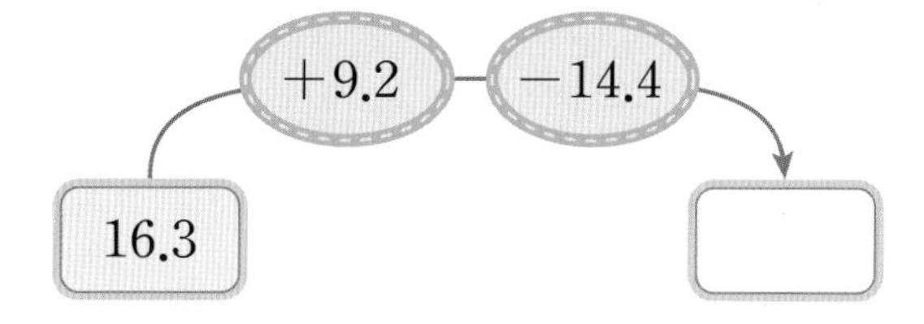

10

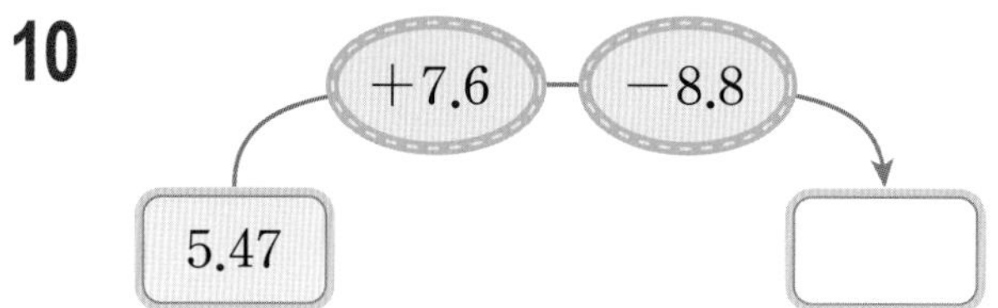

11

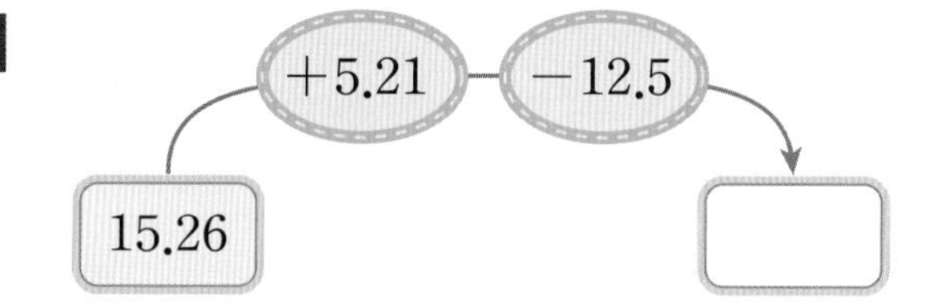

12

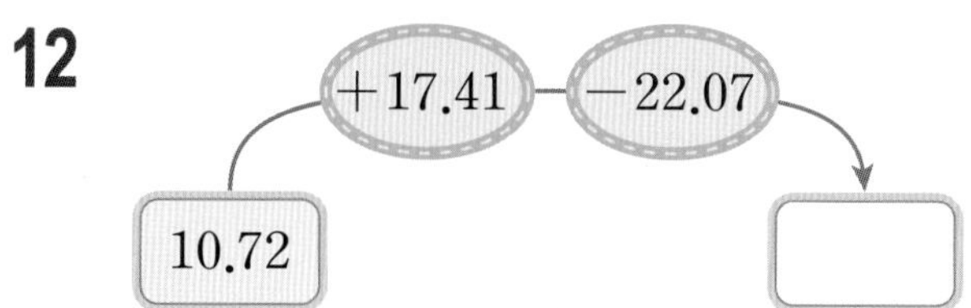

13

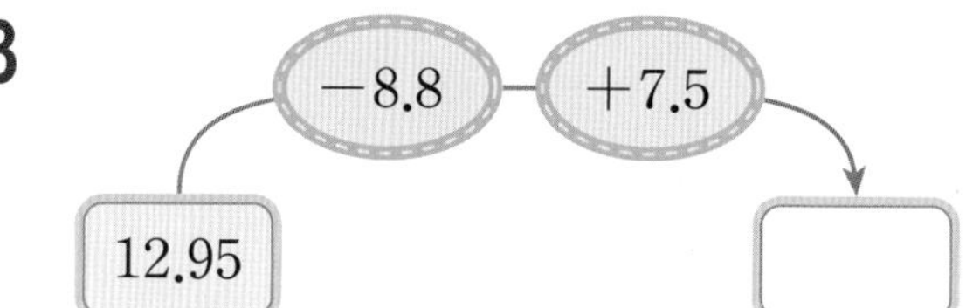

14

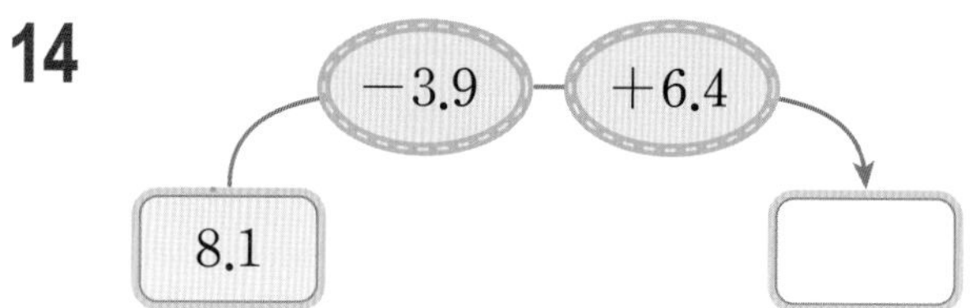

15

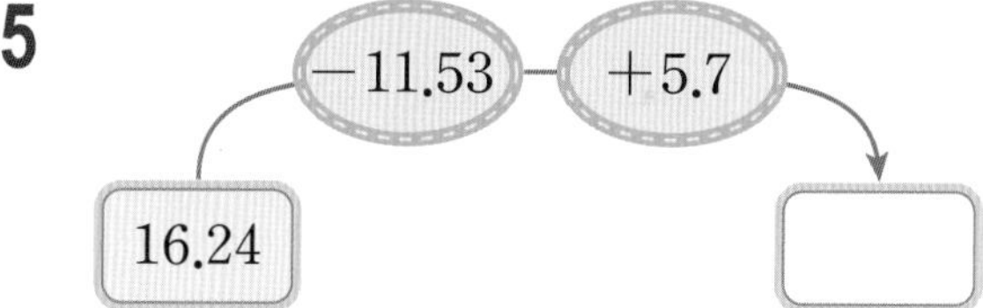

16

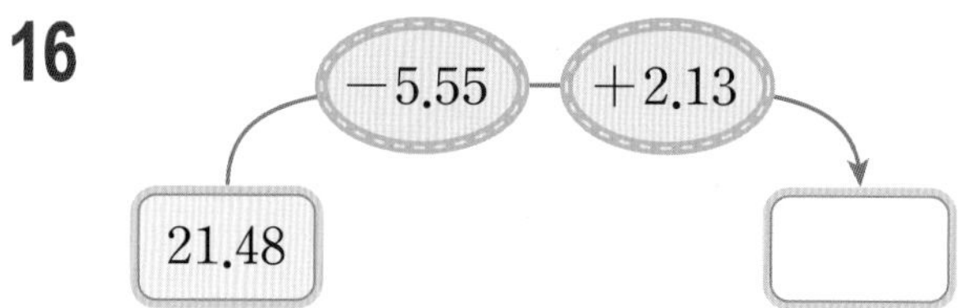

4. 소수의 뺄셈

계산을 하세요.

1 $0.6-0.1$

2 $0.5-0.3$

3 $0.9-0.2$

4 $0.25-0.12$

5 $0.69-0.37$

6 $0.86-0.59$

7 $0.73-0.65$

8 $9.3-4.1$

9 $10.4-3.7$

10 $8.6-6.7$

11 $5.99-3.93$

12 $9.72-1.58$

13 $14.02-6.72$

14 $18.15-4.39$

15 $8.78-3.2$

16 $7.03-2.8$

17 $6.81-5.9$

18 $4.6-3.57$

19 $9.4-4.41$

20 $7.6-1.5-0.8$

21 $12.4-3.3-2.77$

22 $4.66-0.54-3.8$

23 $9.08-6.12-1.75$

24 $17.45-2.36-8.29$

25 $5.7+4.26-6.3$

26 $15.38+1.91-7.85$

27 $10.64-6.27+5.5$

28 $22.48-15.13+9.62$

:: □ 안에 알맞은 수를 써넣으세요.

29

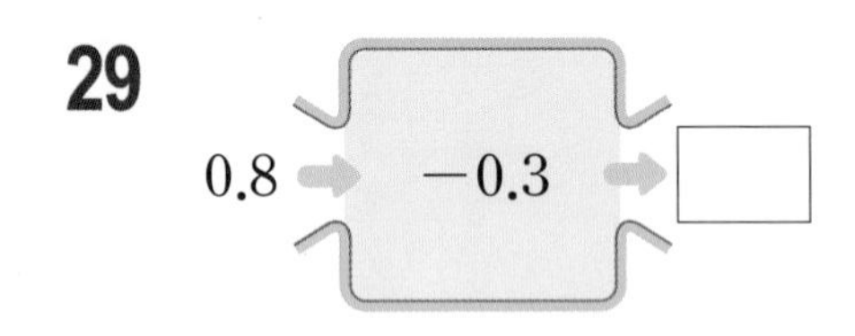

30

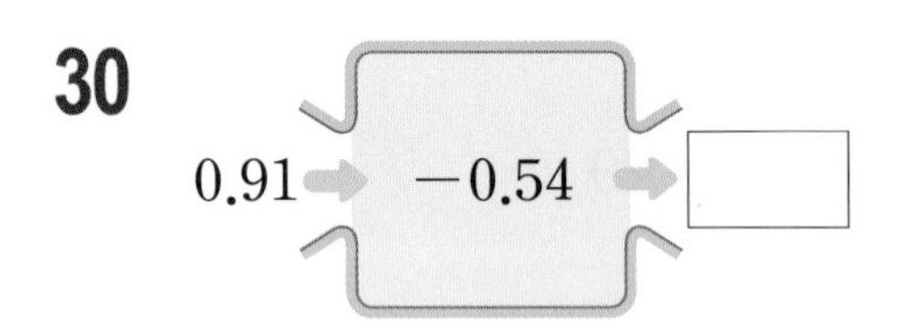

:: 빈 곳에 알맞은 수를 써넣으세요.

31

(−)

10.8	6.7	
19.5	13.9	

32

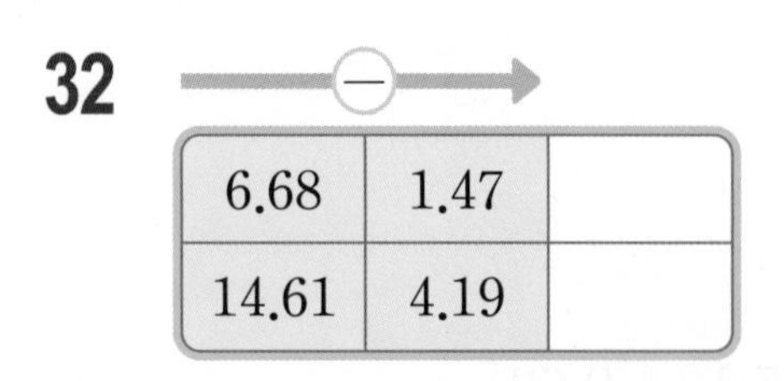

(−)

6.68	1.47	
14.61	4.19	

:: 두 수의 차를 빈 곳에 써넣으세요.

33

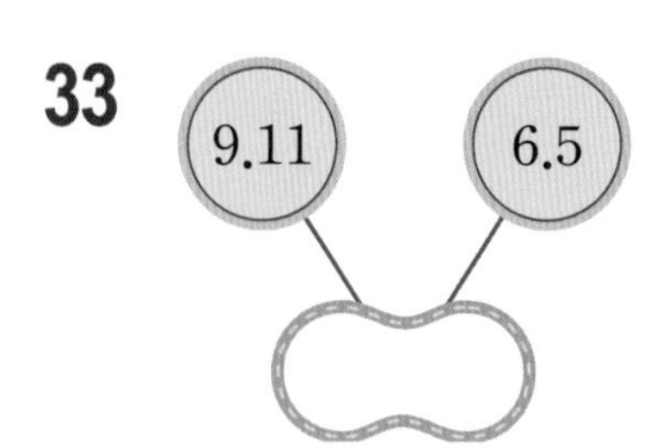

34

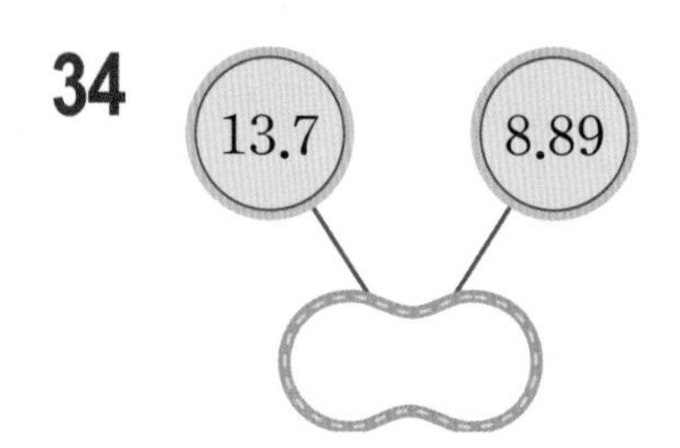

:: 빈 곳에 알맞은 수를 써넣으세요.

35

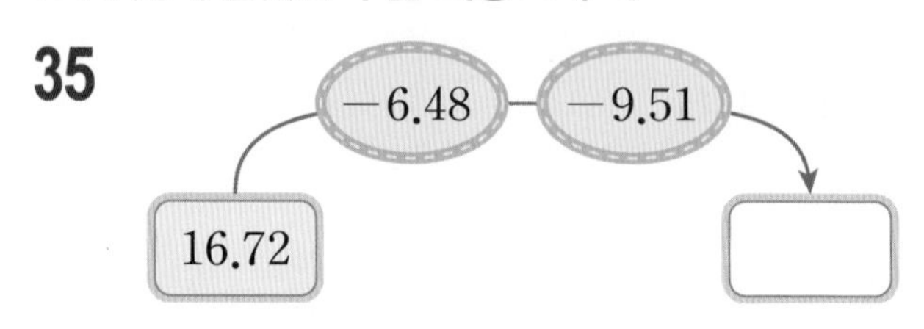

36

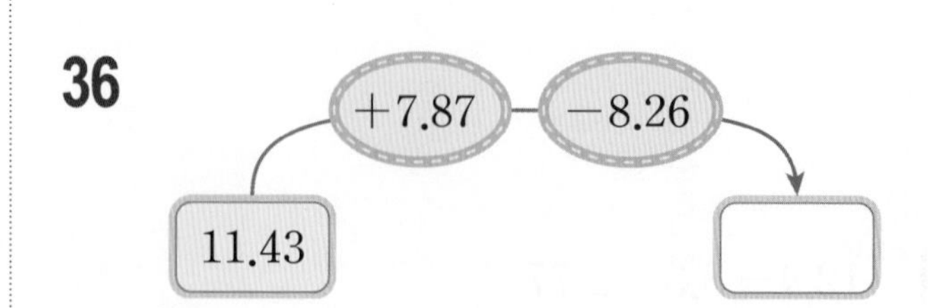

Memo

Memo

바른 계산, 빠른 연산!

초능력 수학 연산 4·2

정답 및 풀이

동아출판

차례

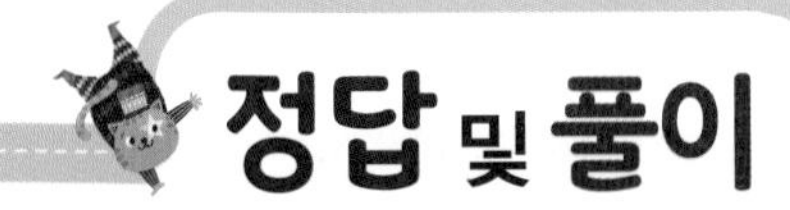

1 분수의 덧셈

8~9쪽 원리 ❶

1 1, 3, $\frac{4}{5}$

2 1, 2, $\frac{3}{4}$

3 3, 2, $\frac{5}{7}$

4 2, 2, $\frac{4}{6}$

5 3, 4, $\frac{7}{8}$

6 2, 5, $\frac{7}{9}$

7 3, 5, $\frac{8}{10}$

8 3, 6, $\frac{9}{11}$

9 3, 7, $\frac{10}{12}$

10 4, 8, $\frac{12}{15}$

11 3, 2, 5, $1\frac{1}{4}$

12 6, 3, 9, $1\frac{2}{7}$

13 4, 4, 8, $1\frac{2}{6}$

14 7, 6, 13, $1\frac{5}{8}$

15 6, 7, 13, $1\frac{3}{10}$

16 3, 9, 12, $1\frac{1}{11}$

17 6, 7, 13, $1\frac{4}{9}$

18 5, 8, 13, $1\frac{1}{12}$

19 11, 5, 16, $1\frac{2}{14}$

20 6, 10, 16, $1\frac{3}{13}$

21 8, 8, 16, $1\frac{1}{15}$

22 9, 12, 21, $1\frac{4}{17}$

10~11쪽 연습 ❶

1 $\frac{4}{5}$

2 $\frac{5}{6}$

3 $\frac{6}{7}$

4 $\frac{6}{9}$

5 $\frac{9}{10}$

6 $\frac{6}{8}$

7 $\frac{10}{13}$

8 $\frac{10}{11}$

9 $\frac{11}{12}$

10 $\frac{7}{9}$

11 $\frac{7}{10}$

12 $\frac{5}{8}$

13 $\frac{11}{12}$

14 $\frac{13}{14}$

15 $\frac{15}{17}$

16 $\frac{14}{20}$

17 $1\frac{2}{4}$

18 $1\frac{4}{7}$

19 $1\frac{3}{5}$

20 $1\frac{3}{8}$

21 $1\frac{1}{6}$

22 $1\frac{4}{9}$

23 $1\frac{3}{11}$

24 $1\frac{5}{10}$

25 $1\frac{3}{12}$

26 $1\frac{9}{13}$

27 $1\frac{1}{15}$

28 $1\frac{5}{16}$

29 $1\frac{2}{19}$

30 $1\frac{5}{20}$

31 $1\frac{16}{25}$ / $1\frac{16}{25}$ kg

12~13쪽 적용 ❶

1 $\frac{6}{7}$

2 $\frac{8}{9}$

3 $\frac{8}{11}$

4 $\frac{11}{13}$

5 $1\frac{4}{6}$

6 $1\frac{1}{8}$

7 $1\frac{1}{10}$

8 $1\frac{4}{14}$

9 $\frac{11}{14}$

10 $\frac{13}{15}$

11 $\frac{13}{16}$

12 $\frac{14}{19}$

13 $1\frac{4}{12}$

14 $1\frac{6}{17}$

15 $1\frac{7}{20}$

16 $1\frac{6}{27}$

1 $\frac{3}{7}+\frac{3}{7}=\frac{3+3}{7}=\frac{6}{7}$

2 $\frac{6}{9}+\frac{2}{9}=\frac{6+2}{9}=\frac{8}{9}$

3 소수의 덧셈

58~59쪽 원리 ❶

1	0.5	13	1.1
2	0.5	14	1.3
3	0.7	15	1.4
4	0.6	16	1.3
5	0.9	17	1.5
6	0.8	18	1.4
7	0.7	19	1.7
8	0.9	20	1.2
9	0.8	21	1.3
10	0.9	22	1.8
11	1.1	23	1.3
12	1.2	24	1.6

60~61쪽 연습 ❶

1	0.4	14	0.9
2	0.4	15	0.3
3	0.7	16	0.9
4	0.6	17	1.6
5	0.9	18	1.1
6	0.8	19	1.2
7	1.1	20	1.5
8	1.2	21	1.3
9	1.1	22	1.4
10	1.5	23	1
11	1.1	24	1.6
12	1.7	25	1.4 / 1.4 m
13	0.8		

21
$$\begin{array}{r} {\scriptstyle 1} \\ 0.4 \\ +\,0.9 \\ \hline 1.3 \end{array}$$

22
$$\begin{array}{r} {\scriptstyle 1} \\ 0.7 \\ +\,0.7 \\ \hline 1.4 \end{array}$$

23
$$\begin{array}{r} {\scriptstyle 1} \\ 0.5 \\ +\,0.5 \\ \hline 1 \end{array}$$

24
$$\begin{array}{r} {\scriptstyle 1} \\ 0.9 \\ +\,0.7 \\ \hline 1.6 \end{array}$$

25
$$\begin{array}{r} {\scriptstyle 1} \\ 0.8 \\ +\,0.6 \\ \hline 1.4 \end{array}$$

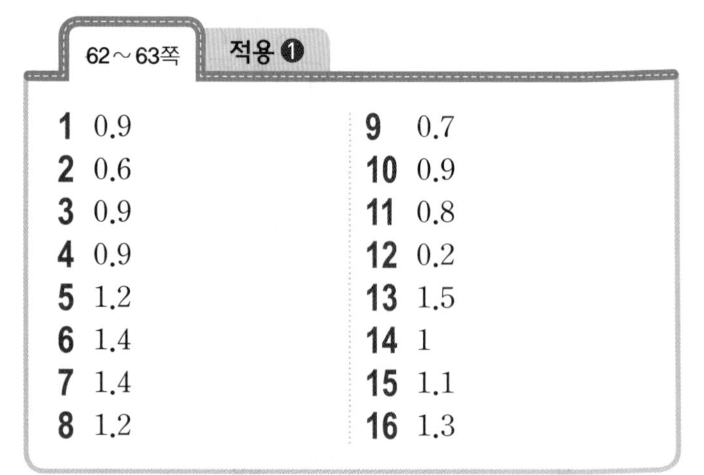

62~63쪽 적용 ❶

1	0.9	9	0.7
2	0.6	10	0.9
3	0.9	11	0.8
4	0.9	12	0.2
5	1.2	13	1.5
6	1.4	14	1
7	1.4	15	1.1
8	1.2	16	1.3

1 $0.1+0.8=0.9$
2 $0.2+0.4=0.6$
3 $0.3+0.6=0.9$
4 $0.2+0.7=0.9$
5 $0.5+0.7=1.2$
6 $0.6+0.8=1.4$
7 $0.5+0.9=1.4$
8 $0.8+0.4=1.2$
9 $0.6+0.1=0.7$
10 $0.5+0.4=0.9$
11 $0.2+0.6=0.8$
12 $0.1+0.1=0.2$
13 $0.6+0.9=1.5$
14 $0.4+0.6=1$
15 $0.8+0.3=1.1$
16 $0.7+0.6=1.3$

64~65쪽 **원리 ❷**

1 0.37
2 0.59
3 0.75
4 0.89
5 0.78
6 0.37
7 0.98
8 0.35
9 0.65
10 0.71
11 0.92
12 0.93
13 1.38
14 1.15
15 1.07
16 1.33
17 1.22
18 1.21
19 1.06
20 1.61
21 1.62
22 1.25

66~67쪽 **연습 ❷**

1 0.79
2 0.68
3 0.86
4 0.93
5 0.91
6 0.53
7 1.09
8 1.42
9 1.17
10 1.51
11 1.44
12 1.24
13 0.45
14 0.86
15 0.75
16 0.98
17 0.63
18 0.74
19 1.19
20 1.39
21 1.14
22 1.12
23 1.46
24 1.21
25 1.32 / 1.32 L

20
$$\begin{array}{r} {}^{1}\quad\ \ \\ 0.5\ 1 \\ +\,0.8\ 8 \\ \hline 1.3\ 9 \end{array}$$

21
$$\begin{array}{r} {}^{1}\quad\ \ \\ 0.4\ 2 \\ +\,0.7\ 2 \\ \hline 1.1\ 4 \end{array}$$

22
$$\begin{array}{r} {}^{1}\ \ {}^{1}\quad \\ 0.1\ 7 \\ +\,0.9\ 5 \\ \hline 1.1\ 2 \end{array}$$

23
$$\begin{array}{r} {}^{1}\ \ {}^{1}\quad \\ 0.9\ 8 \\ +\,0.4\ 8 \\ \hline 1.4\ 6 \end{array}$$

24
$$\begin{array}{r} {}^{1}\ \ {}^{1}\quad \\ 0.3\ 5 \\ +\,0.8\ 6 \\ \hline 1.2\ 1 \end{array}$$

25
$$\begin{array}{r} {}^{1}\ \ {}^{1}\quad \\ 0.5\ 7 \\ +\,0.7\ 5 \\ \hline 1.3\ 2 \end{array}$$

68~69쪽 **적용 ❷**

1 0.56
2 0.65
3 0.63
4 0.71
5 1.52
6 1.69
7 1.32
8 1.2
9 0.89
10 0.78
11 0.83
12 0.97
13 1.09
14 1.77
15 1.22
16 1.53

1 0.34+0.22=0.56
2 0.51+0.14=0.65
3 0.26+0.37=0.63
4 0.54+0.17=0.71
5 0.91+0.61=1.52
6 0.77+0.92=1.69
7 0.84+0.48=1.32
8 0.76+0.44=1.2
9 0.66+0.23=0.89
10 0.42+0.36=0.78
11 0.38+0.45=0.83
12 0.69+0.28=0.97
13 0.47+0.62=1.09
14 0.94+0.83=1.77
15 0.99+0.23=1.22
16 0.74+0.79=1.53

104～105쪽 원리 ❷

1 0.21	12 0.27
2 0.15	13 0.15
3 0.13	14 0.19
4 0.47	15 0.26
5 0.23	16 0.28
6 0.13	17 0.17
7 0.08	18 0.06
8 0.41	19 0.17
9 0.17	20 0.57
10 0.43	21 0.16
11 0.21	22 0.62

106～107쪽 연습 ❷

1 0.21	14 0.41
2 0.14	15 0.76
3 0.35	16 0.51
4 0.32	17 0.44
5 0.71	18 0.13
6 0.42	19 0.27
7 0.39	20 0.48
8 0.48	21 0.28
9 0.49	22 0.13
10 0.56	23 0.39
11 0.27	24 0.06
12 0.16	25 0.26 / 0.26 kg
13 0.32	

20
$$\begin{array}{r} {\scriptstyle 6\ \ 10} \\ 0.\cancel{7}\ 5 \\ -\ 0.2\ 7 \\ \hline 0.4\ 8 \end{array}$$

21
$$\begin{array}{r} {\scriptstyle 4\ \ 10} \\ 0.\cancel{5}\ 7 \\ -\ 0.2\ 9 \\ \hline 0.2\ 8 \end{array}$$

22
$$\begin{array}{r} {\scriptstyle 7\ \ 10} \\ 0.\cancel{8}\ 1 \\ -\ 0.6\ 8 \\ \hline 0.1\ 3 \end{array}$$

23
$$\begin{array}{r} {\scriptstyle 5\ \ 10} \\ 0.\cancel{6}\ 1 \\ -\ 0.2\ 2 \\ \hline 0.3\ 9 \end{array}$$

24
$$\begin{array}{r} {\scriptstyle 8\ \ 10} \\ 0.\cancel{9}\ 3 \\ -\ 0.8\ 7 \\ \hline 0.0\ 6 \end{array}$$

25
$$\begin{array}{r} {\scriptstyle 8\ \ 10} \\ 0.\cancel{9}\ 5 \\ -\ 0.6\ 9 \\ \hline 0.2\ 6 \end{array}$$

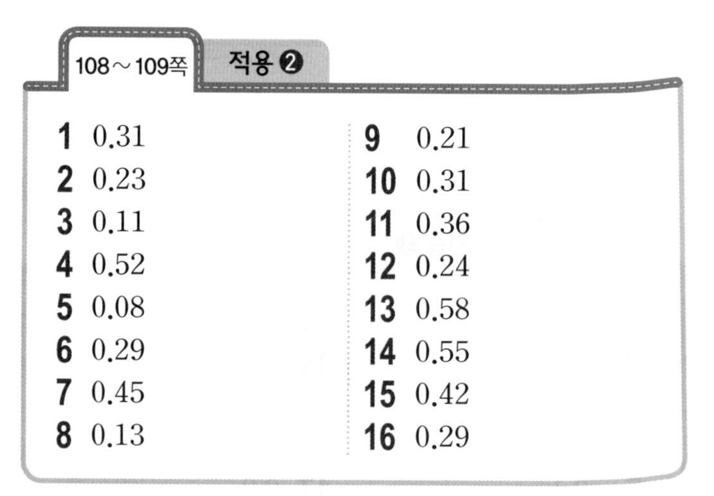

108～109쪽 적용 ❷

1 0.31	9 0.21
2 0.23	10 0.31
3 0.11	11 0.36
4 0.52	12 0.24
5 0.08	13 0.58
6 0.29	14 0.55
7 0.45	15 0.42
8 0.13	16 0.29

1 $0.43-0.12=0.31$
2 $0.74-0.51=0.23$
3 $0.38-0.27=0.11$
4 $0.85-0.33=0.52$
5 $0.26-0.18=0.08$
6 $0.98-0.69=0.29$
7 $0.72-0.27=0.45$
8 $0.51-0.38=0.13$
9 $0.67-0.46=0.21$
10 $0.93-0.62=0.31$
11 $0.59-0.23=0.36$
12 $0.78-0.54=0.24$
13 $0.74-0.16=0.58$
14 $0.83-0.28=0.55$
15 $0.91-0.49=0.42$
16 $0.66-0.37=0.29$

110~111쪽 원리 ❸

1	0.5	12	3.9
2	4.2	13	1.6
3	2.5	14	5.8
4	1.1	15	4.9
5	4.3	16	4.3
6	3.1	17	1.6
7	1.3	18	3.7
8	3.3	19	1.7
9	4.2	20	0.9
10	1.3	21	4.9
11	4.4	22	4.8

112~113쪽 연습 ❸

1	1.5	14	5.1
2	3.1	15	2.4
3	4.4	16	2.2
4	1.3	17	1.2
5	3.1	18	2.1
6	3.3	19	0.3
7	2.5	20	1.6
8	1.8	21	3.6
9	1.8	22	5.8
10	3.3	23	1.9
11	0.7	24	13.4
12	2.5	25	2.7 / 2.7 km
13	5.2		

22
$$\begin{array}{r} \scriptstyle 7\ 10 \\ \not{8}.4 \\ -\ 2.6 \\ \hline 5.8 \end{array}$$

23
$$\begin{array}{r} \scriptstyle 2\ 10 \\ 1\ \not{3}.2 \\ -\ 1\ 1.3 \\ \hline 1.9 \end{array}$$

24
$$\begin{array}{r} \scriptstyle 8\ 10 \\ 1\ \not{9}.3 \\ -\ \ 5.9 \\ \hline 1\ 3.4 \end{array}$$

25
$$\begin{array}{r} \scriptstyle 4\ 10 \\ \not{5}.1 \\ -\ 2.4 \\ \hline 2.7 \end{array}$$

114~115쪽 적용 ❸

1	6.5	9	5.3, 9.2
2	1.2	10	4.2, 11.1
3	3.2	11	8.6, 13.1
4	8.1	12	7.7, 14.1
5	1.5	13	4.7, 6.4
6	2.8	14	3.7, 5.9
7	1.8	15	5.5, 11.7
8	4.9	16	0.8, 14.6

1 $8.9-2.4=6.5$

2 $10.5-9.3=1.2$

3 $13.7-10.5=3.2$

4 $15.3-7.2=8.1$

5 $3.2-1.7=1.5$

6 $6.3-3.5=2.8$

7 $9.5-7.7=1.8$

8 $10.1-5.2=4.9$

9 $8.8-3.5=5.3$
$12.7-3.5=9.2$

10 $10.6-6.4=4.2$
$17.5-6.4=11.1$

11 $15.9-7.3=8.6$
$20.4-7.3=13.1$

12 $11.8-4.1=7.7$
$18.2-4.1=14.1$

13 $7.4-2.7=4.7$
$9.1-2.7=6.4$

14 $12.2-8.5=3.7$
$14.4-8.5=5.9$

15 $16.1-10.6=5.5$
$22.3-10.6=11.7$

16 $10.7-9.9=0.8$
$24.5-9.9=14.6$

116～117쪽 원리 ❹

1	2.22	12	2.06
2	2.21	13	3.19
3	3.52	14	1.71
4	4.11	15	3.73
5	3.15	16	4.53
6	5.11	17	0.97
7	4.42	18	2.67
8	4.32	19	1.77
9	1.09	20	4.88
10	3.25	21	4.48
11	3.25	22	4.86

118～119쪽 연습 ❹

1	6.21	14	6.22
2	1.05	15	2.32
3	4.13	16	5.17
4	1.39	17	2.46
5	5.17	18	7.09
6	3.28	19	3.61
7	2.52	20	2.24
8	4.84	21	1.45
9	4.87	22	6.56
10	2.76	23	4.87
11	5.38	24	10.69
12	2.89	25	4.97 / 4.97 cm
13	1.14		

22
$$\begin{array}{r} {\scriptstyle 0\ 14\ 10\ 10} \\ \not1\,\not5.\not1\,4 \\ -\quad 8.5\,8 \\ \hline 6.5\,6 \end{array}$$

23
$$\begin{array}{r} {\scriptstyle 1\ 9\ 11\ 10} \\ \not2\,\not0.\not2\,3 \\ -\,1\,5.3\,6 \\ \hline 4.8\,7 \end{array}$$

24
$$\begin{array}{r} {\scriptstyle 3\ 13\ 10} \\ 2\,\not4.\not4\,1 \\ -\,1\,3.7\,2 \\ \hline 1\,0.6\,9 \end{array}$$

25
$$\begin{array}{r} {\scriptstyle 2\ 9\ 14\ 10} \\ \not3\,\not0.\not5\,5 \\ -\,2\,5.5\,8 \\ \hline 4.9\,7 \end{array}$$

120～121쪽 적용 ❹

1	5.22	9	3.51, 10.52
2	12.34	10	5.43, 4.6
3	5.08	11	3.17, 10.28
4	11.56	12	10.08, 14.37
5	3.71	13	4.94, 15.23
6	4.71	14	5.29, 18.28
7	14.29	15	1.77, 4.59
8	3.47	16	7.94, 12.58

1 $12.37-7.15=5.22$

2 $15.85-3.51=12.34$

3 $14.56-9.48=5.08$

4 $25.72-14.16=11.56$

5 $17.26-13.55=3.71$

6 $16.02-11.31=4.71$

7 $20.15-5.86=14.29$

8 $19.44-15.97=3.47$

9 $13.53-10.02=3.51$
$11.65-1.13=10.52$

10 $9.85-4.42=5.43$
$19.74-15.14=4.6$

11 $12.26-9.09=3.17$
$21.55-11.27=10.28$

12 $16.22-6.14=10.08$
$42.46-28.09=14.37$

13 $6.86-1.92=4.94$
$23.81-8.58=15.23$

14 $18.64-13.35=5.29$
$27.41-9.13=18.28$

15 $10.76-8.99=1.77$
$17.34-12.75=4.59$

16 $24.63-16.69=7.94$
$35.16-22.58=12.58$

122~123쪽 **원리 ❺**

1	2.28	**12**	4.12
2	3.17	**13**	4.17
3	3.07	**14**	1.14
4	1.16	**15**	6.05
5	2.18	**16**	4.12
6	6.32	**17**	3.01
7	2.14	**18**	6.89
8	0.46	**19**	4.36
9	1.71	**20**	6.88
10	0.94	**21**	2.89
11	3.53	**22**	5.75

124~125쪽 **연습 ❺**

1	0.32	**14**	2.28
2	5.19	**15**	1.37
3	3.77	**16**	3.56
4	2.23	**17**	1.72
5	0.66	**18**	0.62
6	3.67	**19**	2.07
7	5.08	**20**	7.21
8	3.57	**21**	0.49
9	5.46	**22**	4.92
10	3.42	**23**	0.87
11	3.89	**24**	5.76
12	0.65	**25**	2.86 / 2.86 L
13	4.44		

19

$$\begin{array}{r} {}^{1\ 10} \\ 3.\not{2}\ \ \\ -\ 1.1\ 3 \\ \hline 2.0\ 7 \end{array}$$

20

$$\begin{array}{r} {}^{5\ 10} \\ 9.\not{6}\ \ \\ -\ 2.3\ 9 \\ \hline 7.2\ 1 \end{array}$$

21

$$\begin{array}{r} {}^{1\ 11\ 10} \\ \not{2}.\not{2}\ \ \\ -\ 1.7\ 1 \\ \hline 0.4\ 9 \end{array}$$

24

$$\begin{array}{r} {}^{7\ 12\ 10} \\ \not{8}.\not{3}\ \ \\ -\ 2.5\ 4 \\ \hline 5.7\ 6 \end{array}$$

25

$$\begin{array}{r} {}^{7\ 15\ 10} \\ \not{8}.\not{6}\ \ \\ -\ 5.7\ 4 \\ \hline 2.8\ 6 \end{array}$$

126~127쪽 **적용 ❺**

1	5.09	**9**	4.12
2	6.05	**10**	4.46
3	8.71	**11**	2.84
4	1.83	**12**	4.92
5	8.02	**13**	2.06
6	1.48	**14**	5.47
7	2.63	**15**	3.62
8	4.71	**16**	9.58

1 $12.49-7.4=5.09$

2 $9.25-3.2=6.05$

3 $11.21-2.5=8.71$

4 $10.43-8.6=1.83$

5 $13.4-5.38=8.02$

6 $9.6-8.12=1.48$

7 $12.1-9.47=2.63$

8 $16.3-11.59=4.71$

9 $14.92-10.8=4.12$

10 $13.56-9.1=4.46$

11 $15.34-12.5=2.84$

12 $21.72-16.8=4.92$

13 $8.2-6.14=2.06$

14 $17.7-12.23=5.47$

15 $24.5-20.88=3.62$

16 $22.3-12.72=9.58$

128~129쪽 원리 ❻

1 (위에서부터) 3.2 / 5.4 / 5.4, 3.2
2 (위에서부터) 2.2 / 7.3 / 7.3, 2.2
3 (위에서부터) 2.11 / 6.23 / 6.23, 2.11
4 (위에서부터) 1.05 / 3.4 / 3.4, 1.05
5 (위에서부터) 2.18 / 5.48 / 5.48, 2.18
6 (위에서부터) 4.02 / 7.62 / 7.62, 4.02
7 (위에서부터) 3.3, 5.4, 3.3
8 (위에서부터) 1.5, 3.3, 1.5
9 (위에서부터) 2.2, 5.8, 2.2
10 (위에서부터) 4.47, 5.2, 4.47
11 (위에서부터) 1.08, 4.48, 1.08
12 (위에서부터) 0.16, 3.96, 0.16
13 (위에서부터) 1.01, 6.38, 1.01
14 (위에서부터) 2.05, 6.35, 2.05
15 (위에서부터) 3.51, 4.94, 3.51
16 (위에서부터) 2.53, 8.04, 2.53
17 (위에서부터) 2.1, 3.36, 2.1
18 (위에서부터) 1.37, 2.99, 1.37

130~131쪽 연습 ❻

1 1.6
2 3.4
3 3
4 7.18
5 3.25
6 3.48
7 2.03
8 4.42
9 2.34
10 2.71
11 5.13
12 1.1
13 3.38
14 3.85
15 0.9
16 1.2
17 1.67
18 6.48
19 2.04
20 7.05
21 11.68
22 1.04
23 5.97
24 8.05
25 5.25
26 6.08
27 6.82 / 6.82 cm

27 $25.55-10.47-8.26=6.82$
15.08
6.82

132~133쪽 적용 ❻

1 1.4
2 2.2
3 3.07
4 2.92
5 5.09
6 0.79
7 5.66
8 4.17
9 1.6
10 7.2
11 3.98
12 2.24
13 4.19
14 9.72
15 1.27
16 4.43

1 $8.4-4.2-2.8=4.2-2.8=1.4$
2 $13.3-9.5-1.6=3.8-1.6=2.2$
3 $11.7-2.6-6.03=9.1-6.03$
$=3.07$
4 $9.6-1.28-5.4=8.32-5.4$
$=2.92$
5 $20.8-5.11-10.6=15.69-10.6$
$=5.09$
6 $12.42-4.5-7.13=7.92-7.13$
$=0.79$
7 $15.95-3.47-6.82=12.48-6.82$
$=5.66$
8 $21.34-11.91-5.26=9.43-5.26$
$=4.17$
9 $10.4-3.7-5.1=6.7-5.1$
$=1.6$
10 $16.6-6.9-2.5=9.7-2.5$
$=7.2$
11 $12.1-0.82-7.3=11.28-7.3$
$=3.98$
12 $15.2-4.16-8.8=11.04-8.8$
$=2.24$
13 $9.71-3.5-2.02=6.21-2.02$
$=4.19$
14 $14.8-4.73-0.35=10.07-0.35$
$=9.72$
15 $13.66-5.92-6.47=7.74-6.47$
$=1.27$
16 $25.34-12.05-8.86=13.29-8.86$
$=4.43$

134～135쪽 원리 ❼

1 (위에서부터) 4.1 / 8.3 / 8.3, 4.1
2 (위에서부터) 3.58 / 7.3 / 7.3, 3.58
3 (위에서부터) 6.23 / 8.99 / 8.99, 6.23
4 (위에서부터) 8.13 / 6.9 / 6.9, 8.13
5 (위에서부터) 11.31 / 5.51 / 5.51, 11.31
6 (위에서부터) 9.16 / 6.93 / 6.93, 9.16
7 (위에서부터) 4.7, 10.2, 4.7
8 (위에서부터) 5.7, 13.1, 5.7
9 (위에서부터) 7.46, 10.06, 7.46
10 (위에서부터) 0.89, 7.39, 0.89
11 (위에서부터) 2.01, 6.76, 2.01
12 (위에서부터) 8.09, 16.52, 8.09
13 (위에서부터) 7.45, 5.73, 7.45
14 (위에서부터) 12.9, 5.6, 12.9
15 (위에서부터) 14.2, 8.4, 14.2
16 (위에서부터) 9.28, 3.08, 9.28
17 (위에서부터) 4.37, 1.81, 4.37
18 (위에서부터) 8.63, 3.11, 8.63

136～137쪽 연습 ❼

1 2.64
2 2.97
3 6.12
4 5.14
5 12.9
6 7
7 13.93
8 4.2
9 11.78
10 9.03
11 3
12 15.6
13 8.78
14 14.54
15 9.15
16 9.07
17 1.52
18 11.26
19 1.86
20 12.98
21 17.32
22 18.1
23 10.61
24 11.97
25 6.07
26 16.56
27 1.91 / 1.91 km

27 $7.25+5.16-10.5=1.91$

(7.25+5.16 → 12.41, 12.41−10.5 → 1.91)

138～139쪽 적용 ❼

1 13.02
2 12.6
3 5.69
4 7.33
5 13.52
6 12.6
7 10.94
8 22.11
9 11.1
10 4.27
11 7.97
12 6.06
13 11.65
14 10.6
15 10.41
16 18.06

1 $7.12+8.3-2.4=15.42-2.4=13.02$
2 $13.7+11.5-12.6=25.2-12.6=12.6$
3 $6.1+15.82-16.23=21.92-16.23=5.69$
4 $9.7+3.05-5.42=12.75-5.42=7.33$
5 $11.43-7.51+9.6=3.92+9.6=13.52$
6 $20.2-12.5+4.9=7.7+4.9=12.6$
7 $14.38-9.27+5.83=5.11+5.83=10.94$
8 $6.2-1.5+17.41=4.7+17.41=22.11$
9 $16.3+9.2-14.4=25.5-14.4=11.1$
10 $5.47+7.6-8.8=13.07-8.8=4.27$
11 $15.26+5.21-12.5=20.47-12.5=7.97$
12 $10.72+17.41-22.07=28.13-22.07=6.06$
13 $12.95-8.8+7.5=4.15+7.5=11.65$
14 $8.1-3.9+6.4=4.2+6.4=10.6$
15 $16.24-11.53+5.7=4.71+5.7=10.41$
16 $21.48-5.55+2.13=15.93+2.13=18.06$

140~142쪽 평가

1	0.5	19	4.99
2	0.2	20	5.3
3	0.7	21	6.33
4	0.13	22	0.32
5	0.32	23	1.21
6	0.27	24	6.8
7	0.08	25	3.66
8	5.2	26	9.44
9	6.7	27	9.87
10	1.9	28	16.97
11	2.06	29	0.5
12	8.14	30	0.37
13	7.3	31	4.1, 5.6
14	13.76	32	5.21, 10.42
15	5.58	33	2.61
16	4.23	34	4.81
17	0.91	35	0.73
18	1.03	36	11.04

14 $18.15 - 4.39 = 13.76$ (7 10 10)

15 $8.78 - 3.2 = 5.58$

16 $7.03 - 2.8 = 4.23$ (6 10)

17 $6.81 - 5.9 = 0.91$ (5 10)

18 $4.6 - 3.57 = 1.03$ (5 10)

19 $9.4 - 4.41 = 4.99$ (8 13 10)

20 $7.6-1.5-0.8=5.3$ (6.1, 5.3)

21 $12.4-3.3-2.77=6.33$ (9.1, 6.33)

22 $4.66-0.54-3.8=0.32$ (4.12, 0.32)

23 $9.08-6.12-1.75=1.21$ (2.96, 1.21)

24 $17.45-2.36-8.29=6.8$ (15.09, 6.8)

25 $5.7+4.26-6.3=3.66$ (9.96, 3.66)

26 $15.38+1.91-7.85=9.44$ (17.29, 9.44)

27 $10.64-6.27+5.5=9.87$ (4.37, 9.87)

28 $22.48-15.13+9.62=16.97$ (7.35, 16.97)

29 $0.8-0.3=0.5$

30 $0.91-0.54=0.37$

31 $10.8-6.7=4.1$
$19.5-13.9=5.6$

32 $6.68-1.47=5.21$
$14.61-4.19=10.42$

33 $9.11-6.5=2.61$

34 $13.7-8.89=4.81$

35 $16.72-6.48-9.51=10.24-9.51=0.73$

36 $11.43+7.87-8.26=19.3-8.26=11.04$

초능력 수학 연산 4·2
정답 및 풀이

하루 2쪽

10분 완성

초능력 수학 연산